D0831914

ON NE BADINE PAS
AVEC L'AMOUR

JE SÈME A TOUT VENT

Il est interdit d'exporter le présent ouvrage au Canada, sous peine des sanctions prévues par la loi et par nos contrats

Dessin d'Eugène Lami.
Reproduction autorisée par la librairie Flammarion.

ROSETTE ET PERDICAN

CLASSIQUES LAROUSSE

Fondés par
FÉLIX GUIRAND
Agrégé des Lettres

Dirigés par
LÉON LEJEALLE
Agrégé des Lettres

ALFRED DE MUSSET

ON NE BADINE PAS AVEC L'AMOUR

avec une Notice biographique, une Notice historique
et littéraire des Notes explicatives, des Jugements,
un Questionnaire et des Sujets de devoirs

par

HENRI CHABOT

Agrégé des Lettres
Professeur de Première au Lycée Charlemagne

LIBRAIRIE LAROUSSE • PARIS VI

17, rue du Montparnasse, et boulevard Raspail, 114
Succursale : 58, rue des Écoles (Sorbonne)

ALFRED DE MUSSET ET SON TEMPS

	VIE ET ŒUVRES DE MUSSET	LE MOUVEMENT INTELLECTUEL ET ARTISTIQUE	LES ÉVÉNEMENTS POLITIQUES
1810	Naissance d'Alfred de Musset à Paris (11 décembre).	Mme de Staël : *De l'Allemagne.* Traduction complète d'Ossian (recueil de Macpherson et recueil de Smith).	Apogée de la puissance napoléonienne. Mariage de l'empereur et de Marie-Louise.
1828	Rencontre de Hugo et Nodier. Publication de sa traduction de *l'Anglais mangeur d'opium,* de Quincey.	Sainte-Beuve : *Tableau de la poésie française au XVIe siècle.* Mort de Goya. Mort de Schubert.	Indépendance de la Grèce.
1830	*Contes d'Espagne et d'Italie.* Représentation et échec de la *Nuit vénitienne* à l'Odéon.	Bataille d'*Hernani.* A. Comte : *Cours de philosophie positive.* Lamartine : *Harmonies poétiques et religieuses.*	Prise d'Alger. Révolution de Juillet. Révolution en Belgique (août) et en Pologne (novembre).
1832	Mort de son père. *Un spectacle dans un fauteuil.*	G. Sand : *Indiana.* Mort de Goethe et de Cuvier. Mickiewicz à Paris. Corot: *le Bain de Diane.*	Manifestation aux funérailles du général Lamarque. L'armée de Méhémet-Ali victorieuse des Turcs à Konieh.
1833	*André del Sarto,* les *Caprices de Marianne, Rolla.* Liaison avec G. Sand, départ pour l'Italie, en décembre.	H. de Balzac : *Eugénie Grandet.* V. Hugo : *Lucrèce Borgia. Marie Tudor.* G. Sand : *Lélia.* Goethe : *Second Faust.* Barye : *le Lion au serpent.*	Organisation de l'enseignement primaire par la loi Guizot. Création de la Société des droits de l'homme.
1834	*Fantasio. On ne badine pas avec l'amour. Lorenzaccio.* Voyage à Bade.	Sainte-Beuve : *Volupté.* H. de Balzac : *le Père Goriot.* Mort de Coleridge.	Insurrection d'avril (Lyon et Paris). Quadruple-Alliance (Espagne-Portugal-Grande-Bretagne-France).
1835	*La Nuit de mai. Le Chandelier. La Nuit de décembre.*	V. Hugo : *Chants du crépuscule.* A. de Vigny : *Chatterton.*	Attentat de Fieschi. Loi de septembre sur la presse.
1836	*La Confession d'un enfant du siècle. Il ne faut jurer de rien. La Nuit d'août. Stances à la Malibran.* Première et deuxième *lettres de Dupuis et Cotonet.*	A. Dumas : *Kean.* Lamartine : *Jocelyn.* Leopardi : *la Ginesta* (son dernier poème). Meyerbeer : *les Huguenots.*	Ministère Thiers.
1837	Troisième et quatrième *lettres de Dupuis et Cotonet. Un caprice. La Nuit d'octobre.* Liaison avec Aimée d'Alton.	Dickens : *Oliver Twist.* Thackeray : *Yellowplush Papers.* Rude : Groupe du *Départ des volontaires* à l'Arc de triomphe. David d'Angers : *Fronton du Panthéon.*	Traité de la Tafna : cession à Abd el-Kader des provinces d'Oran et d'Alger. Conquête de Constantine par Lamoricière.

1838	Nommé bibliothécaire du ministère de l'Intérieur. *L'Espoir en Dieu*.	V. Hugo : *Ruy Blas*, Liaison de Chopin et de G. Sand. E. A. Poe : *Arthur Gordon Pym*.	Formation de la coalition contre Molé.
1840	*Une soirée perdue*. L'éditeur Charpentier publie les « Œuvres complètes » d'Alfred de Musset.	Sainte-Beuve : *Port-Royal*. V. Hugo : *les Rayons et les Ombres*. P. Mérimée : *Colomba*. J. Proudhon : *Qu'est-ce que la propriété ?*	Retour des cendres de Napoléon Ier. Louis-Napoléon détenu au fort de Ham. Démission de Thiers. Ministère Guizot.
1841	*Souvenir. Le Rhin allemand*. Passion malheureuse pour la princesse Belgiojoso.	A. de Lamartine : *la Marseillaise de la paix*. H. de Balzac : *le Curé de village*. E. Delacroix : *Prise de Constantinople par les croisés*.	Convention des Détroits.
1842	*Histoire d'un merle blanc*.	E. Sue : *les Mystères de Paris*. Aloysius Bertrand : *Gaspard de la nuit*.	Protectorat français à Tahiti. Affaire Pritchard.
1844	*Pierre et Camille. Les Frères Van Buck*.	A. Dumas : *les Trois Mousquetaires*. V. Hugo : *A Villequier*. Petöfi : *Poèmes*. Théodore Rousseau : *Marais dans les Landes*.	Les réfugiés politiques fondent à Paris le parti de la *Jeune Europe* organisé par l'Italien Mazzini.
1845	*Il faut qu'une porte soit ouverte ou fermée*.	P. Mérimée : *Carmen*. Th. Gautier : *Espagne*. Kierkegaard : *Étapes sur le chemin de la vie*. Wagner : *Tannhäuser*.	Hostilité de la Chambre à l'égard des congrégations. Guizot négocie avec le Vatican la fermeture des collèges des jésuites.
1847	Première représentation d'*Un caprice* à la Comédie-Française.	J. Michelet : *Histoire de la Révolution*. E. Brontë : *Wuthering Heights*.	Reddition d'Abd el-Kader. Campagne des banquets.
1848	Premières représentations d'*Il faut qu'une porte soit ouverte ou fermée* et d'*Il ne faut jurer de rien*. Musset perd son poste de bibliothécaire.	A. Dumas fils : *la Dame aux camélias* (roman). Mort de Chateaubriand. Publication des *Mémoires d'outre-tombe*.	Révolution de Février. Révolution en Italie, dans l'empire autrichien et en Allemagne.
1849	*Sur trois marches de marbre rose*. Représentations d'*On ne saurait penser à tout*.	Voyage de Flaubert et de Maxime du Camp en Grèce, Syrie, Égypte. Charlotte Brontë : *Shirley*. Mort de Chopin.	Journées de Juin. Constitution de 1848. Louis-Napoléon élu président de la République.
1852	Élection à l'Académie française. Édition définitive des *Premières Poésies*. *Poésies nouvelles*.	Th. Gautier : *Emaux et Camées*. Leconte de Lisle : *Poèmes antiques*. A. Dumas fils : *la Dame aux camélias* (drame).	Napoléon III empereur héréditaire. En Italie, Cavour est appelé au ministère.
1857	Mort d'Alfred de Musset à Paris (2 mai).	Ch. Baudelaire : *les Fleurs du mal*. Th. Gautier : *l'Art*.	Expédition française en Chine.

RÉSUMÉ CHRONOLOGIQUE DE LA VIE D'A. DE MUSSET
(1810-1857)

1810 (11 décembre). — Naissance d'Alfred de Musset, à Paris.

1819. — Il entre au collège Henri-IV et y fait de brillantes études.

1824. — Il écrit ses premiers vers, une chanson pour la fête de sa mère.

1828. — Paul Foucher le présente à Victor Hugo, son beau-frère, puis l'introduit chez Nodier, à l'Arsenal. Musset publie dans un journal de Dijon, *le Provincial*, une ballade intitulée *Un rêve*, puis, à Paris, sa traduction de *l'Anglais mangeur d'opium*, de Quincey.

1830. — En janvier, il fait paraître les *Contes d'Espagne et d'Italie*; en juillet, les *Secrètes Pensées de Rafaël*; en octobre, les *Vœux stériles*. Le 1er décembre, il fait représenter *la Nuit vénitienne* à l'Odéon.

1831. — Il publie, dans *le Temps*, la *Revue fantastique*.

1832. — Mort de Victor de Musset, père du poète (8 avril). Publication d'*Un spectacle dans un fauteuil* (décembre).

1833. — Dans la *Revue des Deux Mondes* paraissent *André del Sarto* (1er avril), *les Caprices de Marianne* (15 mai), *Rolla* (15 août). Vers la fin de l'été commence la liaison de Musset avec George Sand. Ils partent pour l'Italie en décembre.

1834. — *Fantasio* (*Revue des Deux Mondes*, 1er janvier), Musset quitte Venise le 29 mars et rentre à Paris. Il publie *On ne badine pas avec l'amour* (*Revue des Deux Mondes*, 1er juillet), *Lorenzaccio* (août). Voyage à Bade (septembre).

1835. — *Une bonne fortune, Lucie, la Nuit de mai, la Quenouille de Barberine, le Chandelier, la Nuit de décembre*.

1836. — *La Confession d'un enfant du siècle, Lettre à Lamartine, Salon de 1836* (*Revue des Deux Mondes*), *Il ne faut jurer de rien, la Nuit d'août, Première lettre de Dupuis et Cotonet, Stances à la Malibran, Seconde lettre de Dupuis et Cotonet*.

1837. — *Troisième* et *quatrième* lettres de Dupuis et Cotonet, *Un caprice, Emmeline, la Nuit d'octobre. les Deux Maîtresses*. Liaison avec Aimée d'Alton.

1838. — *Frédéric et Bernadette* (nouvelle), *l'Espoir en Dieu, le Fils du Titien* (roman), *Dupont et Durand*, stances *Sur la naissance du comte de Paris, Margot* (nouvelle), *De la tragédie, à propos des débuts de M*lle *Rachel*. Musset est nommé bibliothécaire du ministère de l'Intérieur.

1839. — *Croisilles* (nouvelle). Musset compose le *Poète déchu*.

1840. — *Silvia. Maladie de Musset. Une soirée perdue*. L'éditeur Charpentier publie les *Œuvres complètes d'Alfred de Musset*.

1841. — *Souvenir, le Rhin allemand*. Passion malheureuse pour la princesse Belgiojoso.

1842. — *Sur la paresse. Sur une morte, Histoire d'un merle blanc, Après une lecture*.

1843. — *Treize juillet, Réponse à Charles Nodier, le Mie prigioni*.

1844. — *A mon frère revenant d'Italie, Pierre et Camille* (conte), *le Secret de Javotte* (conte), *les Frères Van Buck* (conte).

1845. — *Mimi Pinson* (conte), *Il faut qu'une porte soit ouverte ou fermée*.

1847. — Première représentation d'*Un caprice* à la Comédie-Française (27 novembre).

1848. — Première représentation d'*Il faut qu'une porte soit ouverte ou fermée* (7 avril). d'*Il ne faut jurer de rien* (22 juin). Musset perd son poste de bibliothécaire.

1849. — Représentation de *Louison, Sur trois marches de marbre rose*. Représentation d'*On ne saurait penser à tout*.

1850. — *Carmosine*.

1851. — Représentation de *Bettine*.

1852. — Le 12 février, Musset est élu membre de l'Académie française. Il prononce son discours de réception le 27 mai.

1853. — Musset compose le *Songe d'Auguste* (poème dramatique), *la Mouche* (conte).

1854. — Musset est nommé bibliothécaire du ministère de l'Instruction publique.

1855. — *L'Ane et le Ruisseau* (comédie).

1857 (2 mai). — Mort d'Alfred de Musset, à Paris.

Alfred de Musset avait vingt ans de moins que Lamartine, treize ans de moins que Vigny, douze ans de moins que Michelet, onze ans de moins que Balzac, huit ans de moins que Victor Hugo, sept ans de moins que Mérimée, six ans de moins que George Sand et que Sainte-Beuve. Il avait un an de plus que Théophile Gautier.

ON NE BADINE PAS
AVEC L'AMOUR
1834

NOTICE

Ce qui se passait en 1834. — EN POLITIQUE. En France, *la loi contre les associations est adoptée le 26 mars. Insurrections républicaines à Paris, à Lyon, à Saint-Etienne (avril). Une ordonnance royale défère à la Cour des pairs le jugement de ces insurrections. Nombreux procès de presse contre les journaux libéraux. Dissolution de la Chambre des députés. Nouvelles élections favorables au système de répression. Nomination du premier gouverneur général de l'Algérie, le comte Drouet d'Erlon. Mort de La Fayette (20 mai).*

A l'étranger : Espagne, *Continuation de l'insurrection carliste. Les Cortès déclarent exclus du trône don Carlos et ses descendants. Abolition de l'Inquisition.* — Grèce, *Soulèvements sur divers points du pays.* — Portugal, *Bannissement à perpétuité de dom Miguel.* — Russie, *Insurrection du Caucase.* — La Syrie, *cédée par la Turquie à Méhémet-Ali, se révolte contre lui.* — Traité de la Quadruple-Alliance *entre l'Angleterre, l'Espagne, la France et le Portugal, pour l'expulsion de don Carlos et de dom Miguel.*

EN LITTÉRATURE. En France, *Balzac fait paraître la* Recherche de l'absolu *et le* Père Goriot; *Victor Hugo,* Claude Gueux *et* Littérature et philosophie mêlées; *Lamartine,* Des destinées de la poésie *(seconde préface des* Premières Méditations); *Lamennais, les* Paroles d'un croyant; *Mérimée, les* Ames du purgatoire; *Edgar Quinet publie la traduction qu'il a faite, en 1825, de l'ouvrage de Herder, intitulé* Idées pour servir à la philosophie de l'histoire de l'humanité. *Sainte-Beuve donne* Volupté; *George Sand,* Jacques; *Augustin Thierry,* Dix Ans d'études historiques. *Alexandre Dumas père fait représenter* Catherine Howard. *Michelet supplée Guizot à la Sorbonne.*

A l'étranger : Allemagne, *mort du philosophe Schleiermacher, naissance de l'historien Treitschke.* — Angleterre, *Carlyle publie* Sartor Resartus. *Naissance du poète James Thomson, du poète et écrivain d'art Morris. Mort de Coleridge, du poète et critique littéraire Charles Lamb.* — Espagne, *Larra donne* Macias, *drame ; le duc de Rivas, le* Maure abandonné, *poème. Naissance du romancier Pereda.* — Pologne, *Mickiewicz publie* Maître Thadée, *poème ; Julius Slowacki,* Balladyna. *Mort du romancier Bronokowski.*

DANS LES ARTS. En France, *le peintre Paul Delaroche expose* la Mort de Jane Grey. *Naissance de Degas. Mort du compositeur Boieldieu.*

A l'étranger : États-Unis, *Naissance du peintre Whistler.* — Russie : *Naissance du compositeur Borodine.* — Angleterre, *Mort de l'orientaliste William Carey, traducteur du* Râmayana.

DANS LES SCIENCES. En France, *Naissance du physicien Planté. Ampère commence* l'Essai sur la philosophie des sciences.

A l'étranger : Allemagne, *Naissance des biologistes Haeckel et Weismann.* — Autriche, *Mort de Senefelder, inventeur de la lithographie.* — Russie, *Naissance du chimiste Mendéléev.*

La publication. Les représentations. — Pas plus que *Fantasio, On ne badine pas avec l'amour* n'a été écrit pour être joué. La pièce a paru dans la *Revue des Deux Mondes,* le 1ᵉʳ juillet 1834. Musset l'avait composée, ou du moins terminée[1], dans les mois qui suivirent son retour d'Italie, après sa rupture avec George Sand. Il n'est donc pas étonnant qu'elle porte « des traces de l'état moral où était l'auteur. Le caractère étrange de Camille, certains passages du rôle de Perdican, la lutte d'orgueil entre ces deux personnages, font reconnaître l'influence des souvenirs douloureux contre lesquels le poète se débattait ». (Paul de Musset, *Biographie d'A. de Musset,* p. 133.)

On ne badine pas avec l'amour fut représenté à la Comédie-Française quatre ans après la mort d'Alfred de Musset (1861). L'administrateur de la Comédie avait demandé à son frère de l'adapter pour le théâtre. Les exigences de la censure, ainsi que les nécessités scéniques, entraînèrent beaucoup d'atténuations, de suppressions et de remaniements. Il fallut faire disparaître ce qui, dans les personnages des deux prêtres Blazius et Bridaine, comme dans certaines paroles de Perdican et de Camille, semblait porter atteinte à la religion. D'un autre côté, la mise en scène ne pouvait s'accommoder des libertés de composition que l'auteur avait prises, alors qu'il écrivait pour être lu. Malgré les modifications qu'elle a subies, la pièce a conservé son sens, mais elle n'a plus tout le charme poétique de l'œuvre originale.

Mieux accueilli que ne devait l'être *Fantasio* quelques années plus tard, *On ne badine pas avec l'amour* a cependant causé, dit

---

1. D'après M. Bidou, les deux premiers actes auraient été composés en 1833, le troisième en 1834, « après l'épreuve d'Italie ». Pierre Gastinel, auteur d'une thèse sur *le Romantisme d'Alfred de Musset* (1933), pense aussi que la pièce a été écrite « en deux temps » : Musset l'aurait commencée dans les dernières semaines de 1833, et menée jusqu'à la scène v du deuxième acte ; cette scène et le troisième acte seraient postérieurs au retour d'Italie. Pour appuyer son sentiment, M. Gastinel signale en particulier dans toute cette partie de la pièce, une certaine grandiloquence, qui ne se rencontre pas dans la première. Il l'attribue avec beaucoup de vraisemblance à l'influence de George Sand sur Alfred de Musset.

Charles Monselet, « un peu de gêne chez les auditeurs de la première représentation ». La pièce était, d'après lui, « trop lyrique et trop alambiquée pour certains d'entre eux ; ils y trouvaient aussi trop d'envolées vers l'idéal ». Le témoignage de Monselet est confirmé par Sarcey. « La première représentation, écrit-il, en 1881, ne laissa pas d'étonner et de déconcerter le public. Il fut sensiblement touché, comme il devait l'être, de certaines scènes, qui l'enlevèrent comme elles ont toujours fait depuis. Mais il sembla que l'ensemble même de l'ouvrage laissât les esprits indécis ; il flottait sur le sens général du drame comme sur le caractère de Camille, je ne sais quel nuage inquiétant[1]. » Il faut dire qu'on a depuis longtemps appris à mieux goûter la beauté de cette pièce, et Sarcey pouvait ajouter dans le même feuilleton : « Peu à peu le public se familiarisa avec l'œuvre du poète. Il y entra mieux ; elle est aujourd'hui consacrée par une longue admiration. » De 1861 à la fin de 1961, *On ne badine pas avec l'amour* a eu, à la Comédie-Française, 588 représentations.

Les sources. — Si personnelle que soit une œuvre où l'auteur a tant mis de lui-même, et des souvenirs les plus récents de sa propre expérience, on remarquera cependant, avec M. Lafoscade[2], que Musset a pu se rappeler, en l'écrivant, un roman célèbre de Richardson, *Clarisse Harlowe*, qu'il connaissait bien, et où l'on trouve cette réflexion : « L'amour est un feu avec lequel on ne badine pas impunément. » Le manège de Perdican faisant la cour à Rosette, lorsque Camille a découragé son amour, n'est pas sans ressemblance avec celui de Lovelace, qui courtise une jeune paysanne pour piquer la jalousie de Clarisse et se faire aimer d'elle. La ressemblance d'ailleurs, s'arrête ici, car le roman et la pièce n'ont pas le même sujet, et, si Perdican joue le rôle de Lovelace, il n'en a heureusement pas le caractère.

Analyse de la pièce. — (Les scènes principales sont indiquées entre parenthèses.) — ACTE PREMIER. — Le chœur des paysans salue successivement l'arrivée de Blazius, qui leur annonce le retour de Perdican, et celle de dame Pluche, qui précède Camille. Dans un salon de son château, le baron s'entretient avec maître Bridaine, le curé du village, et avec Blazius. Il compte marier son fils et sa nièce, qui justement font leur entrée en même temps, selon les dispositions qu'il a prises. Mais, dès le premier instant, il apparaît que les deux jeunes gens ont des sentiments opposés. Le chœur décrit, tels qu'il se les représente, Blazius et Bridaine dînant à la table du baron. Camille et Perdican paraissent ensemble. Perdican reproche à Camille sa froideur Il essaie vainement de l'émouvoir en lui rappelant les souvenirs de leur enfance. Quand

---

1. *Le Temps*, 28 novembre 1881 ; 2. *Le Théâtre d'Alfred de Musset* (p. 94 sqq.).

ils sont sortis, le baron exprime à dame Pluche sa déception. Perdican, pour se consoler de l'indifférence de Camille, s'entretient avec les paysans qui l'ont connu tout enfant. Soudain, il aperçoit Rosette, la sœur de lait de Camille ; il la fait venir, l'embrasse et l'emmène souper au château. Blazius déclare au baron que Bridaine est un ivrogne ; Bridaine lui apprend que son fils se promène au bras d'une jeune paysanne. Désespoir comique du baron (II, IV).

ACTE II. — Après quelques paroles échangées entre Blazius et Perdican, celui-ci s'entretient avec Camille, qui lui annonce son prochain départ. Monologue de Bridaine : désespéré à la pensée que Blazius occupera encore la place d'honneur à la table du château, il prend le parti de retourner à sa cure. Dans un champ, Perdican cause avec Rosette, qui lui reproche de trop l'embrasser. Blazius révèle au baron qu'il a surpris Camille en dispute avec dame Pluche, et que sa nièce a une correspondance secrète avec un homme qui fait la cour à une gardeuse de dindons. Perdican a reçu un billet de Camille qui lui donnait un rendez-vous près de la fontaine dans un petit bois. Les deux jeunes gens ont une longue conversation. Camille raconte à Perdican les confidences qu'elle a reçues d'une amie de couvent, et qui l'ont décidée à renoncer au monde (I, III, V).

ACTE III. — Le baron reproche à Blazius de lui avoir fait un faux rapport sur sa nièce et la chasse. Blazius rencontre Bridaine et le supplie d'intercéder en sa faveur : refus hautain de Bridaine. Passe dame Pluche, portant une lettre. Perdican survient : il se fait remettre la lettre. C'est Camille qui écrit à son amie de couvent : elle se flatte de laisser, en partant, son cousin au désespoir. Perdican, piqué au vif, fera la cour à Rosette devant Camille elle-même. Dissimulée derrière un arbre, celle-ci assiste à leur entretien. Après cette scène, elle fait venir Perdican dans sa chambre, et bientôt elle l'amène à lui déclarer son amour. Rosette, qu'elle avait cachée derrière un rideau, s'évanouit en entendant cet aveu. Camille montre alors à Perdican la faute qu'il a commise envers sa sœur de lait, et le somme de l'épouser. Perdican la prend au mot. Cependant le baron s'abandonne au désespoir. Camille s'inquiète. Rosette veut s'effacer. Perdican s'obstine et l'emmène. Puis il revient, et trouve Camille dans son oratoire. Bientôt les deux jeunes gens tombent aux bras l'un de l'autre. Mais tout à coup un cri retentit derrière l'autel. Rosette était là ; elle a tout entendu : l'émotion l'a tuée (II, III, VI, VIII).

Le drame d'amour. — Si l'on s'arrêtait au sous-titre de la pièce, on s'attendrait à trouver dans *On ne badine pas avec l'amour* une de ces comédies de salon qui se jouent entre des paravents, et dont le cadre étroit ne permet pas, comme le dit un auteur de *Proverbes*[1], de donner à l'ouvrage « assez de développement pour amener des

---

1. J.-B. Sauvage, *Proverbes dramatiques* (Préface, p. XVI).

situations fortes ou nouer une intrigue compliquée ». Et l'on ima-
ginerait quelque « historiette » dialoguée, avec une péripétie propre
à éveiller un moment l'inquiétude, afin de répondre à la gravité
du titre, mais qui se dénouerait assez heureusement pour satisfaire
aux conventions du genre. La pièce de Musset est, en réalité, d'une
tout autre sorte. L'amour n'y est pas un sentiment superficiel qui
se prête au marivaudage mondain, mais une passion véhémente et
profonde. C'est la divinité malfaisante et sacrée que Musset à
tour à tour maudite et adorée, qu'il exalte dans les tirades enflammées de Perdican, après avoir lancé contre elle l'imprécation
célèbre :

> Amour, fléau du monde ! exécrable folie !

c'est l'amour qui joue avec la vie et la mort, et qui broie les cœurs :
l'égoïste, le cruel, le tragique amour.

Car, dans le riant décor champêtre où la fantaisie de Musset
promène ses personnages, un drame se déroule dont l'action est
dans les âmes. Il se développe dans une suite de scènes où l'on
voit deux jeunes cœurs qu'appelle l'amour, se heurter, se froisser,
se déchirer, se séparer, pour se rejoindre enfin, mais trop tard,
au moment où la mort de leur victime va mettre entre eux un
obstacle infranchissable. Dans cette lutte, tout est subordonné au
caractère de Camille : les fils de l'intrigue se nouent entre ses mains,
l'évolution de ses sentiments détermine le progrès de l'action.
Caractère énigmatique, a-t-on dit, qui surprend d'abord et décon-
certe, et dont une analyse attentive ne résout pas complètement
les contradictions. Il y a loin, en effet, de la jeune fille hautaine et
glacée du premier acte, si différente du sensible Perdican, à celle
qui s'écrie à la fin de la pièce : « Oui, nous nous aimons, Perdican ;
laisse-moi le sentir sur ton cœur. » Celle qui parle ici est la vraie
Camille, la femme que la nature avait faite pour vivre et pour aimer,
et que l'éducation du couvent a desséchée. Il faut, pour la comprendre, se rappeler surtout qu'elle a reçu, jour et nuit, pendant
quatre ans, les confidences d'une femme jetée au cloître par les
déceptions d'un amour malheureux, et que, par l'effet d'une
imagination trop ardente, l'histoire de son amie est devenue sa
propre histoire. De là sa défiance de l'amour et de la vie, dont elle
ne sait rien, sinon ce que l'amère expérience d'une autre lui en a
révélé ; de là sa résolution de renoncer au monde, cette résolution
à laquelle sa volonté raidie par l'orgueil la rattache, lorsqu'elle la
sent faiblir. Mais elle a beau ne pas croire à l'amour, son scepticisme emprunté ne résiste pas au dépit qu'elle éprouve de se voir
dédaignée. Quand sa froideur et sa sécheresse ont amené Perdican
à se tourner vers Rosette, et bientôt à lui faire la cour, la jalousie
naît en elle, sans qu'elle en ait d'abord conscience. Elle devait
partir, et elle ne part pas. Elle revoit Perdican qu'elle ne devait
pas revoir. Elle suit avec une curiosité inquiète le manège amoureux

du jeune homme, qui joue, par sa faute, un rôle de séducteur pour lequel il n'était pas fait. Elle devient coquette ; et, peu à peu, sa jalousie grandissante, sa crainte de voir son cousin épouser Rosette l'obligent à reconnaître qu'elle l'aime, qu'elle l'a toujours aimé. Elle se laisse aller entre ses bras ; mais le cri de Rosette l'en arrache aussitôt, et c'est elle qui prononce le mot qui les sépare à jamais : « Elle est morte ! Adieu, Perdican ! »

Les personnages burlesques. — Dans ce drame au dénouement tragique s'intercalent des scènes de comédie, où le souple talent de Musset se découvre sous un aspect tout différent. L'analyse délicate des sentiments fait ici place à la verve bouffonne qui s'égaye à peindre les inoubliables figures du baron, de dame Pluche, du gouverneur Blazius et du curé Bridaine.

Le premier de ces personnages, comme le prince de Mantoue dans *Fantasio*, appartient à la catégorie des êtres automatiques chez qui tout n'est que soumission servile aux conventions, habitudes et préjugés. Ils vont, ils viennent, ils parlent, sans que jamais la pensée ni le sentiment inspirent leurs paroles ou guident leurs mouvements. Le baron d'*On ne badine pas avec l'amour* a la manie de précisions inutiles et des certitudes à priori. En tout, il sait ce qui est possible ou impossible, ce qui doit être ou ne pas être. Avec cela, le besoin de tout régler, la prétention d'imposer aux événements, comme s'il en était le maître, un ordre immuable, et de voir les choses se produire toujours suivant le cours qu'il leur a fixé. Mais s'il survient un incident qui trouble ses prévisions, dérange ses combinaisons, le voilà éperdu, ahuri, désespéré : ses idées se brouillent ; il s'obstine à nier l'évidence ; il est incapable de réagir. « Une fois détraquée, l'horloge ne sert plus à rien, mais elle continue à marquer des heures[1]. »

Pour nous mieux divertir encore, Musset place auprès de ce fantoche l'aigre dame Pluche, dévote et prude, une maniaque des convenances et du bon ton, et surtout ces deux personnages d'un si haut relief dans le burlesque, ces « outres rivales[2] », Blazius et Bridaine. Goinfres et ivrognes, avec leur ventre rebondi et leur triple menton, ils font songer au Falstaff de Shakespeare, mais ce sont des Falstaff sans verve et sans esprit. Ils sont bien incapables de s'intéresser à autre chose qu'à une question de préséance à la table du baron ou à la dispute des bons morceaux, et dans le retour de Camille et de Perdican, comme dans leur mariage escompté, ils ne voient qu'une occasion de bombances et de festins. Livrés tout entiers à leurs appétits grossiers, si par hasard ils s'aperçoivent du désaccord qui sépare les deux jeunes gens, ils ne peuvent en soupçonner la gravité. Ils passent, inconscients et indifférents, à côté du drame qui se noue. Comment en serait-il autrement ? Il faudrait qu'ils fussent capables de sortir d'eux-mêmes, ou plutôt

1. Lafoscade (*ibid.*, p. 266) ; 2. J. Lemaitre.

il faudrait qu'ils fussent autre chose que ce qu'ils sont, un Bridaine, un Blazius!

Tels que Musset les a peints, ces personnages bouffons représentent une partie de l'humanité, cette humanité inférieure qui s'agite et ne sait pas pourquoi elle vit. C'est par là qu'ils sont vrais. L'auteur s'est amusé à charger leur portrait; il a tracé des caricatures; mais en simplifiant et en appuyant, il n'a pas altéré la ressemblance, il n'a fait que donner à ses personnages un relief plus vigoureux.

La poésie. — Elle est d'abord, justement, dans les parties burlesques de la pièce. « La poésie, dit Jules Lemaitre, a pour matière tout le monde réel, y compris ses laideurs et ses discordances; elle fait résider la beauté moins dans les objets (spectacles de l'univers physique, êtres vivants, sentiments et passions), que dans une vision particulière de ces objets et dans leur expression[1]. » Musset anime tout de sa verve. Sa fantaisie — qui fait penser ici à celle d'Aristophane — donne à une scène vulgaire une sorte d'ampleur héroï-comique. Qu'on se rappelle le tableau que trace le chœur des paysans, assis sous un noyer de la place, tandis que ces « deux formidables dîneurs », Blazius et Bridaine sont au château face à face. De loin il les voit « accoudés sur la table, les joues enflammées, les yeux à fleur de tête, secouer, pleins de haine, leurs triples mentons. Ils se regardent de la tête aux pieds, ils préludent par de légères escarmouches; bientôt la guerre se déclare; les cuistreries de toute espèce se croisent et s'échangent, et, pour comble de malheur, entre les deux ivrognes s'agite dame Pluche, qui les repousse l'un et l'autre de ses coudes affilés[2] ». Écoutons d'autre part, maître Bridaine, lorsqu'il songe avec amertume que son rival va occuper encore la place d'honneur : « O malheureux que je suis! Un âne bâté, un ivrogne sans pudeur, me relègue au bas bout de la table!... O sainte Église catholique!... Je ne souffrirai pas cet affront. Adieu, vénérable fauteuil, où je me suis renversé tant de fois, gorgé de mets succulents! Adieu, bouteilles cachetées, fumet sans pareil de venaisons cuites à point! Adieu, table splendide, noble salle à manger, je ne dirai plus le *bénédicité !* Je retourne à ma cure[3]... » L'excès de son chagrin exalte le pauvre homme jusqu'au lyrisme, le lyrisme de la bouffonnerie.

Mais il y a dans *On ne badine pas avec l'amour* une poésie d'une qualité plus noble : la poésie du décor et du sentiment. Musset n'a pas, cette fois, placé ses personnages en Bavière ou en Bohême, ou bien encore à Venise, à Naples, à Florence, dans ces royaumes ou ces villes de rêve dont il semble que Shakespeare lui ait montré le chemin. C'est aux champs qu'il nous transporte, sur une place de village ombragée de grands arbres devant un château, dans un

---

1. *Introduction au Théâtre d'Alfred de Musset* (p. xii); **2.** Acte Ier. scène III; **3.** Acte II, scène II.

petit bois près d'une fontaine. Est-ce le temps de la vendange ? la saison où les blés mûrissent ? Il ne le sait pas très bien lui-même, et peu lui importe. Il lui suffit d'évoquer un gracieux paysage rustique, et il le fait avec un sincère et délicat instinct de la campagne bien remarquable chez ce Parisien qui n'a vécu que pour la ville. Car ici, comme partout, c'est Musset qu'il faut entendre, quand nous écoutons Perdican. Avec quelle émotion le jeune homme revoit les lieux qu'il a quittés au sortir de l'enfance ! De quel accent il salue sa chère vallée, ses noyers, ses verts sentiers, sa petite fontaine ! C'est qu'il y retrouve une partie de sa vie, ou mieux encore de son âme, qu'il pouvait croire à jamais détachée de lui-même. « Voilà mes jours passés encore tout pleins de vie, voilà le monde mystérieux des rêves de mon enfance ! » Et comme il comprend ce que disent « ces bois et ces prairies, ces tièdes rivières, ces beaux champs couverts de moissons, toute cette nature splendide de jeunesse ! » Son âme s'ouvre au langage mystérieux du monde inanimé, qui lui enseigne la plus belle de toutes les sciences, « l'oubli de ce qu'on sait ».

Seulement, Perdican apporte dans cette paisible nature son cœur d'homme, né pour l'amour et ses tourments. Il aime Camille, et il n'aime qu'elle, même lorsqu'il croit l'oublier avec Rosette. Cet amour est dans la pièce une nouvelle source de lyrisme. C'est lui qui inspire à Perdican les couplets passionnés qu'il adresse à la changeante Camille, et où il exprime avec une émotion si profonde qu'elle les renouvelle quelques-uns des thèmes éternels : misères de l'amour, si souvent trompé et si souvent malheureux, misères toutefois qui ne l'empêchent pas d'être le bien le plus précieux qu'il y ait au monde : « On aime, et quand on est sur le bord de sa tombe, on se retourne pour regarder en arrière, et on se dit : « J'ai souffert souvent, je me suis trompé quelquefois, mais j'ai aimé » ; — aveuglement des cœurs qui s'aiment, et qui prennent un sombre plaisir à se torturer, comme si la vie n'était pas déjà par elle-même un assez triste rêve : « Insensés que nous sommes ! nous nous aimons. Quel songe avons-nous fait, Camille ? Quelles vaines paroles, quelles misérables folies ont passé comme un vent funeste entre nous deux ? Lequel de nous deux a voulu tromper l'autre ?... Il a bien fallu que nous nous fissions du mal, car nous sommes des hommes. »

De tels accents, comme les traits de ressemblance entre les héros du drame et les « amants de Venise », font bien sentir tout ce que la pièce a de personnel. Musset, qui depuis les premières années de sa jeunesse aspirait à l'amour de toutes les forces de son être, venait d'aimer, et il avait souffert. C'est dans son expérience qu'il a trouvé l'inspiration. Mais, en même temps, il a su donner aux sentiments et aux caractères une vérité assez générale, pour faire de ces scènes, qu'assemble le fil léger de la fantaisie, l'œuvre la plus profonde et la plus émouvante de son théâtre.

BIBLIOGRAPHIE SOMMAIRE

———————

Émile LAFOSCADE, *le Théâtre d'Alfred de Musset* (Paris, Hachette, 1901).

Émile HENRIOT, *Alfred de Musset* (Paris, Hachette, 1928).

Pierre GASTINEL, *le Romantisme d'Alfred de Musset* (Paris, Hachette, 1933).

Maurice ALLEM, *Musset* (Paris, Nouvelle Revue critique, 1940).

Philippe VAN TIEGHEM, *Musset, l'homme et l'œuvre* (Paris, Boivin-Hatier, 1945).

———————

PERSONNAGES

———

LE BARON
PERDICAN, son fils.
MAITRE BLAZIUS, gouverneur de Perdican.
MAITRE BRIDAINE, curé.
CAMILLE, nièce du baron.
DAME PLUCHE, sa gouvernante.
ROSETTE, sœur de lait de Camille.
PAYSANS, VALETS, etc.

———

ON NE BADINE PAS
AVEC L'AMOUR

Proverbe

1834

ACTE PREMIER

SCÈNE PREMIÈRE[1].

Une place devant le château.

LE CHŒUR. — Doucement bercé sur sa mule fringante, messer Blazius[2] s'avance dans les bluets fleuris, vêtu de neuf, l'écritoire au côté[3]. Comme un poupon sur l'oreiller, il se ballotte sur son ventre rebondi, et, les yeux à demi fermés, il marmotte un *Pater noster* dans son triple menton. Salut, maître Blazius, vous arrivez au temps de la vendange, pareil à une amphore antique.

MAÎTRE BLAZIUS. — Que ceux qui veulent apprendre une nouvelle d'importance m'apportent ici premièrement un verre de vin frais.

LE CHŒUR. — Voilà notre plus grande écuelle; buvez, maître Blazius; le vin est bon; vous parlerez après.

1. Il existe une variante en vers d'*On ne badine pas avec l'amour*, publiée pour la première fois dans la *Revue nationale*, du 25 novembre 1861, avec un article de Paul de Musset : « Voici, dit celui-ci, l'introduction de la pièce en vers, et telle que je l'ai retrouvée dans les papiers de mon frère. » Il ajoute : « Ce début avait été écrit, avant que l'auteur eût fait le plan de sa comédie. Lorsqu'il eut réfléchi aux sentiments qu'il y voulait développer, aux passions et aux caractères des personnages, il comprit que, dans une composition de ce genre, la prose convenait mieux que les vers. Le travail de transformation ne détruisit pas entièrement l'harmonie de cette première page, ce qui explique pourquoi, dans la scène en prose, les paroles du chœur et la réponse de Blazius ont une allure poétique et cadencée »; 2. *Messer* : vieux mot italien, qui a pour correspondant français *messire*. Chez nous, Messer a été employé surtout dans le style marotique. On le trouve dans La La Fontaine :

L'âne à Messer lion fit office de cor.
(Le Lion et l'âne chassant.)

Cf. aussi *Fables* (III, II; IV, XVI). — *Blazius* est le nom de plusieurs docteurs de Flandre et d'Allemagne. Il y a un personnage de ce nom dans *le Capitaine Fracasse*, de Théophile Gautier; 3. E. Lafoscade signale ici une réminiscence possible de Shakespeare : « Petruchio arrive, avec un chapeau neuf, un vieux juste-au-corps, un haut-de-chausses retourné pour la troisième fois [...], un cheval déhanché avec une selle rongée par les mites, et les étriers de deux paroisses. » (*La Mégère apprivoisée*, IV IV.)

MAÎTRE BLAZIUS. — Vous saurez, mes enfants, que le jeune Perdican, fils de notre seigneur, vient d'atteindre à sa majorité, et qu'il est reçu docteur à Paris. Il revient aujourd'hui même au château, la bouche toute pleine de façons de parler si belles et si fleuries qu'on ne sait que lui répondre les trois quarts du temps. Toute sa gracieuse personne est un livre d'or ; il ne voit pas un brin d'herbe à terre, qu'il ne vous dise comment cela s'appelle en latin ; et quand il fait du vent ou qu'il pleut, il vous dit tout clairement pourquoi. Vous ouvririez des yeux grands comme la porte que voilà, de le voir dérouler un des parchemins qu'il a coloriés d'encres de toutes couleurs, de ses propres mains et sans en rien dire à personne. Enfin c'est un diamant fin des pieds à la tête, et voilà ce que je viens annoncer à M. le baron. Vous sentez que cela me fait quelque honneur, à moi, qui suis son gouverneur depuis l'âge de quatre ans ; ainsi donc, mes bons amis, apportez une chaise que je descende un peu de cette mule-ci sans me casser le cou ; la bête est tant soit peu rétive, et je ne serais pas fâché de boire encore une gorgée avant d'entrer.

LE CHŒUR. — Buvez, maître Blazius, et reprenez vos esprits. Nous avons vu naître le petit Perdican, et il n'était pas besoin, du moment qu'il arrive, de nous en dire si long. Puissions-nous retrouver l'enfant dans le cœur de l'homme !

MAÎTRE BLAZIUS. — Ma foi, l'écuelle est vide ; je ne croyais pas avoir tant bu. Adieu ; j'ai préparé, en trottant sur la route, deux ou trois phrases sans prétention qui plairont à monseigneur ; je vais tirer la cloche. *(Il sort.)*

LE CHŒUR. — Durement cahotée sur son âne essoufflé, dame Pluche gravit la colline ; son écuyer transi gourdine à tour de bras le pauvre animal, qui hoche la tête, un chardon entre les dents. Ses longues jambes maigres trépignent de colère, tandis que, de ses mains osseuses, elle égratigne son chapelet. Bonjour donc, dame Pluche ; vous arrivez comme la fièvre, avec le vent qui fait jaunir les bois.

DAME PLUCHE. — Un verre d'eau, canaille que vous êtes ! un verre d'eau et un peu de vinaigre[1] !

---

1. « Lourdauds de valets, s'écrie Petruchio, quand il rentre chez lui sur sa monture [...] lourd manant ! race de canaille [...]. Allez, canaille, allez me chercher le souper. » (Shakespeare, *la Mégère apprivoisée*, IV, IV.)

Phot. Larousse.

MAITRE BLAZIUS
Illustration d'Henri Pille (Éd. Lemerre, 1907).

LE CHŒUR. — D'où venez-vous, Pluche, ma mie? Vos faux cheveux sont couverts de poussière; voilà un toupet de gâté, et votre chaste robe est retroussée jusqu'à vos vénérables jarretières.

DAME PLUCHE. — Sachez, manants, que la belle Camille, la nièce de votre maître, arrive aujourd'hui au château. Elle a quitté le couvent sur l'ordre exprès de monseigneur, pour venir en son temps et lieu recueillir, comme faire se doit, le bon bien qu'elle a de sa mère. Son éducation, Dieu merci, est terminée, et ceux qui la verront auront la joie de respirer une glorieuse fleur de sagesse et de dévotion. Jamais il n'y a rien eu de si pur, de si ange, de si agneau et de si colombe que cette chère nonnain[1]; que le seigneur Dieu du ciel la conduise! Ainsi soit-il! Rangez-vous, canaille; il me semble que j'ai les jambes enflées.

LE CHŒUR. — Défripez-vous, honnête Pluche; et quand vous prierez Dieu, demandez de la pluie; nos blés sont secs comme vos tibias.

DAME PLUCHE. — Vous m'avez apporté de l'eau dans une écuelle qui sent la cuisine; donnez-moi la main pour descendre; vous êtes des butors et des malappris. *(Elle sort.)*

LE CHŒUR. — Mettons nos habits du dimanche, et attendons que le baron nous fasse appeler. Ou je[2] me trompe fort, ou quelque joyeuse bombance est dans l'air aujourd'hui. *(Ils sortent.)*

SCÈNE II. — *Entrent* LE BARON, MAITRE BRIDAINE *et* MAITRE BLAZIUS.

Le salon du baron.

LE BARON. — Maître Bridaine, vous êtes mon ami; je vous présente maître Blazius, gouverneur de mon fils. Mon fils a eu hier matin, à midi huit minutes, vingt et un ans comptés; il est docteur à quatre boules blanches[3]. Maître Blazius, je vous présente maître Bridaine, curé de la paroisse; c'est mon ami.

---

1. *Nonnain* était, en ancien français, le cas oblique de *nonne.* Musset l'emploie comme un diminutif de ce mot; 2. Un seul personnage, le coryphée, parle au nom du chœur tout entier, comme dans le théâtre antique; 3. C'est-à-dire : il a obtenu quatre fois la note « bien ». « Boule blanche, témoignage complet de satisfaction; boule rouge, témoignage que l'examiné n'a satisfait que tout juste; boule noire, boule qui rejette l'examiné » (Littré).

MAÎTRE BLAZIUS, *saluant.* — A quatre boules blanches, seigneur! littérature, botanique, droit romain, droit canon.

LE BARON. — Allez à votre chambre, cher Blazius, mon fils ne va pas tarder à paraître; faites un peu de toilette, et revenez au coup de la cloche. *(Maître Blazius sort.)*

MAÎTRE BRIDAINE. — Vous dirai-je ma pensée, monseigneur? le gouverneur de votre fils sent le vin à pleine bouche.

LE BARON. — Cela est impossible.

MAÎTRE BRIDAINE. — J'en suis sûr comme de ma vie; il m'a parlé de fort près tout à l'heure; il sentait le vin à faire peur.

LE BARON. — Brisons là; je vous répète que cela est impossible. *(Entre dame Pluche.)* Vous voilà, bonne dame Pluche! Ma nièce est sans doute avec vous.

DAME PLUCHE. — Elle me suit, monseigneur; je l'ai devancée de quelques pas.

LE BARON. — Maître Bridaine, vous êtes mon ami. Je vous présente la dame Pluche, gouvernante de ma nièce. Ma nièce est depuis hier, à sept heures de nuit, parvenue à l'âge de dix-huit ans; elle sort du meilleur couvent de France. Dame Pluche, je vous présente maître Bridaine, curé de la paroisse; c'est mon ami.

DAME PLUCHE, *saluant.* — Du meilleur couvent de France, seigneur, et je puis ajouter : la meilleure chrétienne du couvent.

LE BARON. — Allez, dame Pluche, réparer le désordre où vous voilà; ma nièce va bientôt venir, j'espère; soyez prête à l'heure du dîner. *(Dame Pluche sort.)*

MAÎTRE BRIDAINE. — Cette vieille demoiselle paraît tout à fait pleine d'onction.

LE BARON. — Pleine d'onction et de componction, maître Bridaine; sa vertu est inattaquable.

MAÎTRE BRIDAINE. — Mais le gouverneur sent le vin; j'en ai la certitude.

LE BARON. — Maître Bridaine, il y a des moments où je doute de votre amitié. Prenez-vous à tâche de me contredire? Pas un mot de plus là-dessus. J'ai formé le dessein de marier mon fils avec ma nièce; c'est un couple assorti : leur éducation me coûte six mille écus.

MAÎTRE BRIDAINE. — Il sera nécessaire d'obtenir des dispenses[1].

LE BARON. — Je les ai, Bridaine; elles sont sur ma table, dans mon cabinet. O mon ami! apprenez maintenant que je suis plein de joie. Vous savez que j'ai eu de tout temps la plus profonde horreur pour la solitude. Cependant la place que j'occupe et la gravité de mon habit me forcent à rester dans ce château pendant trois mois d'hiver et trois mois d'été. Il est impossible de faire le bonheur des hommes en général, et de ses vassaux en particulier, sans donner parfois à son valet de chambre l'ordre rigoureux de ne laisser entrer personne. Qu'il est austère et difficile, le recueillement de l'homme d'État! et quel plaisir ne trouverai-je pas à tempérer, par la présence de mes deux enfants réunis, la sombre tristesse à laquelle je dois nécessairement être en proie depuis que le roi m'a nommé receveur[2]!

MAÎTRE BRIDAINE. — Ce mariage se fera-t-il ici, ou à Paris?

LE BARON. — Voilà où je vous attendais, Bridaine; j'étais sûr de cette question. Eh bien! mon ami, que diriez-vous si ces mains que voilà, oui, Bridaine, vos propres mains, — ne les regardez pas d'une manière aussi piteuse, — étaient destinées à bénir solennellement l'heureuse confirmation de mes rêves les plus chers? Hé?

MAÎTRE BRIDAINE. — Je me tais; la reconnaissance me ferme la bouche.

LE BARON. — Regardez par cette fenêtre; ne voyez-vous pas que mes gens se portent en foule à la grille? Mes deux enfants arrivent en même temps; voilà la combinaison la plus heureuse. J'ai disposé les choses de manière à tout prévoir. Ma nièce sera introduite par cette porte à gauche, et mon fils par cette porte à droite. Qu'en dites-vous? Je me fais une fête de voir comment ils s'aborderont, ce qu'ils se diront, six mille écus ne sont pas une bagatelle, il ne faut pas s'y tromper. Ces enfants s'aimaient d'ailleurs fort tendrement dès le berceau. — Bridaine, il me vient une idée.

MAÎTRE BRIDAINE. — Laquelle?

---

1. Perdican et Camille étant cousins germains avaient besoin, pour se marier, d'obtenir des *dispenses*, c'est-à-dire l'autorisation de l'Église; **2.** *Receveur* des impôts.

LE BARON. — Pendant le dîner, sans avoir l'air d'y toucher, — vous comprenez, mon ami, — tout en vidant quelques coupes joyeuses, — vous savez le latin, Bridaine.

MAÎTRE BRIDAINE. — *Ita edepol*[1], pardieu, si je le sais!

LE BARON. — Je serais bien aise de vous voir entreprendre ce garçon, — discrètement, s'entend, — devant sa cousine; cela ne peut produire qu'un bon effet; — faites-le parler un peu latin, — non pas précisément pendant le dîner, cela deviendrait fastidieux, et quant à moi, je n'y comprends rien, — mais au dessert, entendez-vous?

MAÎTRE BRIDAINE. — Si vous n'y comprenez rien, monseigneur, il est probable que votre nièce est dans le même cas.

LE BARON. — Raison de plus; ne voulez-vous pas qu'une femme admire ce qu'elle comprend? D'où sortez-vous, Bridaine? Voilà un raisonnement qui fait pitié.

MAÎTRE BRIDAINE. — Je connais peu les femmes; mais il me semble qu'il est difficile qu'on admire ce qu'on ne comprend pas.

LE BARON. — Je les connais, Bridaine; je connais ces êtres charmants et indéfinissables. Soyez persuadé qu'elles aiment à avoir de la poudre aux yeux, et que plus on leur en jette, plus elles les écarquillent, afin d'en gober davantage. (*Perdican entre d'un côté, Camille de l'autre.*) Bonjour, mes enfants; bonjour ma chère Camille, mon cher Perdican! embrassez-moi, et embrassez-vous.

PERDICAN. — Bonjour, mon père, ma sœur bien-aimée! Quel bonheur! que je suis heureux!

CAMILLE. — Mon père et mon cousin, je vous salue.

PERDICAN. — Comme te voilà grande, Camille! et belle comme le jour!

LE BARON. — Quand as-tu quitté Paris, Perdican?

PERDICAN. — Mercredi, je crois, ou mardi. Comme te voilà métamorphosée en femme! Je suis donc un homme, moi! Il me semble que c'est hier que je t'ai vue pas plus haute que cela.

---

1. « Oui, par Pollux! » *Edepol* était en latin une formule de serment, qui était devenue un juron familier.

LE BARON. — Vous devez être fatigués ; la route est longue, et il fait chaud.

PERDICAN. — Oh ! mon Dieu, non. Regardez donc, mon père, comme Camille est jolie !

LE BARON. — Allons, Camille, embrasse ton cousin.

CAMILLE. — Excusez-moi[1].

LE BARON. — Un compliment vaut un baiser ; embrasse-la, Perdican.

PERDICAN. — Si ma cousine recule quand je lui tends la main, je vous dirai à mon tour : Excusez-moi ; l'amour peut voler un baiser, mais non l'amitié.

CAMILLE. — L'amitié ni l'amour ne doivent recevoir que ce qu'ils peuvent rendre.

LE BARON, *à maître Bridaine*. — Voilà un commencement de mauvaise augure, hé ?

MAÎTRE BRIDAINE, *au baron*. — Trop de pudeur est sans doute un défaut ; mais le mariage lève bien des scrupules.

LE BARON, *à maître Bridaine*. — Je suis choqué, — blessé. — Cette réponse m'a déplu. — *Excusez-moi !* Avez-vous vu qu'elle a fait mine de se signer ? — Venez ici que je vous parle. — Cela m'est pénible au dernier point. Ce moment, qui devait m'être si doux, est complètement gâté. — Je suis vexé, piqué. — Diable ! voilà qui est fort mauvais.

MAÎTRE BRIDAINE. — Dites-leur quelques mots ; les voilà qui se tournent le dos.

LE BARON. — Eh bien ! mes enfants, à quoi pensez-vous donc ? Que fais-tu là, Camille, devant cette tapisserie ?

CAMILLE, *regardant un tableau*. — Voilà un beau portrait, mon oncle ! N'est-ce pas une grand'tante à nous ?

LE BARON. — Oui, mon enfant, c'est ta bisaïeule, — ou du moins la sœur de ton bisaïeul, — car la chère dame n'a jamais concouru, — pour sa part, je crois, autrement qu'en prières, — à l'accroissement de la famille. — C'était, ma foi, une sainte femme.

CAMILLE. — Oh ! oui, une sainte ! c'est ma grand'tante Isabelle. Comme ce costume religieux lui va bien !

---

1. *Excusez-moi :* formule polie qu'on emploie quand on veut se dispenser de faire une chose.

LE BARON. — Et toi, Perdican, que fais-tu là devant ce pot de fleurs?

PERDICAN. — Voilà une fleur charmante, mon père. C'est un héliotrope.

LE BARON. — Te moques-tu? elle est grosse comme une mouche.

PERDICAN. — Cette petite fleur grosse comme une mouche a bien son prix.

MAÎTRE BRIDAINE. — Sans doute! le docteur a raison. Demandez-lui à quel sexe, à quelle classe elle appartient, de quels éléments elle se forme, d'où lui viennent sa sève et sa couleur; il vous ravira en extase en vous détaillant les phénomènes de ce brin d'herbe, depuis la racine jusqu'à la fleur.

PERDICAN. — Je n'en sais pas si long, mon révérend. Je trouve qu'elle sent bon, voilà tout.

SCÈNE III

Devant le château.

Entre LE CHŒUR. — Plusieurs choses me divertissent et excitent ma curiosité. Venez, mes amis, et asseyons-nous sous ce noyer. Deux formidables dîneurs sont en ce moment en présence au château, maître Bridaine et maître Blazius. N'avez-vous pas fait une remarque? C'est que, lorsque deux hommes à peu près pareils, également gros, également sots, ayant les mêmes vices et les mêmes passions, viennent par hasard à se rencontrer, il faut nécessairement qu'ils s'adorent ou qu'ils s'exècrent. Par la raison que les contraires s'attirent, qu'un homme grand et desséché aimera un homme petit et rond, que les blonds recherchent les bruns, et réciproquement, je prévois une lutte secrète entre le gouverneur et le curé. Tous deux sont armés d'une égale impudence; tous deux ont pour ventre un tonneau; non seulement ils sont gloutons, mais ils sont gourmets; tous deux se disputeront, à dîner, non seulement la quantité, mais la qualité. Si le poisson est petit, comment faire? et dans tous les cas une langue de carpe ne peut se partager, et une carpe ne peut avoir deux langues. *Item*[1], tous deux sont bavards;

---

1. *Item* : de même.

mais à la rigueur ils peuvent parler ensemble sans s'écouter ni l'un ni l'autre. Déjà maître Bridaine a voulu adresser au jeune Perdican plusieurs questions pédantes, et le gouverneur a froncé le sourcil. Il lui est désagréable qu'un autre que lui semble mettre son élève à l'épreuve. *Item*, ils sont aussi ignorants l'un que l'autre. *Item*, ils sont prêtres tous deux; l'un se targuera de sa cure, l'autre se rengorgera dans sa charge de gouverneur. Maître Blazius confesse le fils, et maître Bridaine le père. Déjà je les vois accoudés sur la table, les joues enflammées, les yeux à fleur de tête, secouer pleins de haine leurs triples mentons. Ils se regardent de la tête aux pieds, ils préludent par de légères escarmouches; bientôt la guerre se déclare; les cuistreries de toute espèce se croisent et s'échangent, et, pour comble de malheur, entre les deux ivrognes s'agite dame Pluche, qui les repousse l'un et l'autre de ses coudes affilés[1].

Maintenant que voilà le dîner fini, on ouvre la grille du château. C'est la compagnie qui sort, retirons-nous à l'écart. (*Ils sortent. — Entrent le baron et dame Pluche.*)

LE BARON. — Vénérable Pluche, je suis peiné.

DAME PLUCHE. — Est-il possible, monseigneur?

LE BARON. — Oui, Pluche, cela est possible. J'avais compté depuis longtemps, — j'avais même écrit, noté, sur mes tablettes de poche, que ce jour devait être le plus agréable de mes jours, — oui, bonne dame, le plus agréable. — Vous n'ignorez pas que mon dessein était de marier mon fils avec ma nièce; — cela était résolu, — convenu, j'en avais parlé à Bridaine, — et je vois, je crois voir, que ces enfants se parlent froidement; ils ne se sont pas dit un mot.

DAME PLUCHE. — Les voilà qui viennent, monseigneur. Sont-ils prévenus de vos projets?

LE BARON. — Je leur en ai touché quelques mots en particulier. Je crois qu'il serait bon, puisque les voilà réunis,

---

1. E. Lafoscade rapproche Blazius et Bridaine du Falstaff de Shakespeare, ce Falstaff que le prince Henri compare à un sac à liqueurs, à une tonne de vin : « A quoi est-il bon ? A goûter de l'espagne et à le boire. A quoi est-il propre ? A découper un chapon et à le manger. » (*Henri IV*, II, xvii.) Ces deux personnages lui rappellent aussi Holoferne et Nathaniel, le maître d'école et le curé de *Peines d'amour perdues*, « dont les discours, émaillés de *omne bene*, de *haud credo* et de *perge*, se perdent parfois dans des subtilités absurdes et intraduisibles ». Jules Lemaitre, d'autre part, les a comparés au pédant Hortensius de *la Surprise de l'Amour*, de Marivaux.

de nous asseoir sous cet ombrage propice, et de les laisser ensemble un instant. *(Il se retire avec dame Pluche. — Entrent Camille et Perdican.)*

PERDICAN. — Sais-tu que cela n'a rien de beau, Camille, de m'avoir refusé un baiser?

CAMILLE. — Je suis comme cela; c'est ma manière.

PERDICAN. — Veux-tu mon bras pour faire un tour dans le village?

CAMILLE. — Non, je suis lasse.

PERDICAN. — Cela ne te ferait pas plaisir de revoir la prairie? Te souviens-tu de nos parties sur le bateau? Viens, nous descendrons jusqu'aux moulins; je tiendrai les rames, et toi le gouvernail.

CAMILLE. — Je n'en ai nulle envie.

PERDICAN. — Tu me fends l'âme. Quoi! pas un souvenir, Camille? pas un battement de cœur pour notre enfance, pour tout ce pauvre temps passé, si bon, si doux, si plein de niaiseries délicieuses? Tu ne veux pas venir voir le sentier par où nous allions à la ferme?

CAMILLE. — Non, pas ce soir.

PERDICAN. — Pas ce soir! et quand donc? Toute notre vie est là.

CAMILLE. — Je ne suis pas assez jeune pour m'amuser de mes poupées, ni assez vieille pour aimer le passé.

PERDICAN. — Comment dis-tu cela?

CAMILLE. — Je dis que les souvenirs d'enfance ne sont pas de mon goût.

PERDICAN. — Cela t'ennuie?

CAMILLE. — Oui, cela m'ennuie.

PERDICAN. — Pauvre enfant! Je te plains sincèrement. *(Ils sortent chacun de leur côté.)*

LE BARON, *rentrant avec dame Pluche*. — Vous le voyez, et vous l'entendez, excellente Pluche; je m'attendais à la plus suave harmonie, et il me semble assister à un concert où le violon joue *Mon cœur soupire*[1], pendant que la flûte joue *Vive Henri IV*[2]. Songez à la discordance affreuse qu'une

---

1. *Mon cœur soupire* : mélodie sentimentale que chante Chérubin dans *les Noces de Figaro*, de Mozart; **2.** *Vive Henri IV* : chanson gaillarde et à boire en forme de canon.

pareille combinaison produirait. Voilà pourtant ce qui se passe dans mon cœur.

DAME PLUCHE. — Je l'avoue; il m'est impossible de blâmer Camille, et rien n'est de plus mauvais ton, à mon sens, que les parties de bateau.

LE BARON. — Parlez-vous sérieusement?

DAME PLUCHE. — Seigneur, une jeune fille qui se respecte ne se hasarde pas sur les pièces d'eau.

LE BARON. — Mais observez donc, dame Pluche, que son cousin doit l'épouser, et que dès lors...

DAME PLUCHE. — Les convenances défendent de tenir un gouvernail, et il est malséant de quitter la terre ferme seule avec un jeune homme.

LE BARON. — Mais je répète... je vous dis...

DAME PLUCHE. — C'est là mon opinion.

LE BARON. — Êtes-vous folle? En vérité, vous me feriez dire... Il y a certaines expressions que je ne veux pas,... qui me répugnent... Vous me donnez envie... En vérité, si je ne me retenais... Vous êtes une pécore[1], Pluche! je ne sais que penser de vous. *(Il sort.)*

Scène IV. — LE CHŒUR, PERDICAN.

Une place.

PERDICAN. — Bonjour, mes amis. Me reconnaissez-vous?

LE CHŒUR. — Seigneur, vous ressemblez à un enfant que nous avons beaucoup aimé.

PERDICAN. — N'est-ce pas vous qui m'avez porté sur votre dos pour passer les ruisseaux de vos prairies, vous qui m'avez fait danser sur vos genoux, qui m'avez pris en croupe sur vos chevaux robustes, qui vous êtes serrés quelquefois autour de vos tables pour me faire une place au souper de la ferme?

LE CHŒUR. — Nous nous en souvenons, seigneur. Vous étiez bien le plus mauvais garnement et le meilleur garçon de la terre.

---

1. *Pécore* : personne stupide. Au propre, animal, bête. (Tiré de l'italien *pecora*, venu lui-même du latin, pluriel neutre de *pecus* : troupeau, bétail.)

PERDICAN. — Et pourquoi donc alors ne m'embrassez-vous pas, au lieu de me saluer comme un étranger?

LE CHŒUR. — Que Dieu te bénisse, enfant de nos entrailles! Chacun de nous voudrait te prendre dans ses bras; mais nous sommes vieux, monseigneur, et vous êtes un homme.

PERDICAN. — Oui, il y a dix ans que je ne vous ai vus, et en un jour tout change sous le soleil. Je me suis élevé de quelques pieds vers le ciel, et vous vous êtes courbés de quelques pouces vers le tombeau. Vos têtes ont blanchi, vos pas sont devenus plus lents; vous ne pouvez plus soulever de terre votre enfant d'autrefois. C'est donc à moi d'être votre père, à vous qui avez été les miens.

LE CHŒUR. — Votre retour est un jour plus heureux que votre naissance. Il est plus doux de retrouver ce qu'on aime que d'embrasser un nouveau-né.

PERDICAN. — Voilà donc ma chère vallée! mes noyers, mes sentiers verts, ma petite fontaine! voilà mes jours passés encore tout pleins de vie, voilà le monde mystérieux des rêves de mon enfance[1]! O patrie! patrie! mot incompréhensible! l'homme n'est-il donc né que pour un coin de terre, pour y bâtir son nid et pour y vivre un jour[2]?

LE CHŒUR. — On nous a dit que vous êtes un savant, monseigneur.

PERDICAN. — Oui, on me l'a dit aussi. Les sciences sont une belle chose, mes enfants; ces arbres et ces prairies enseignent à haute voix la plus belle de toutes, l'oubli de ce qu'on sait.

1. Perdican rappelle ici le *Werther* de Gœthe, revenant au pays natal : « Je m'arrêtai là, sous ce tilleul qui était dans mon enfance le but et le terme de mes promenades. Quel changement! [...] Je m'approchai du bourg; je saluai les jardins et les petites maisons que je reconnaissais. [...] Je descendis la rivière, jusqu'à une certaine métairie où j'allais aussi fort souvent autrefois : c'est un petit endroit où nous autres enfants faisions des ricochets à qui mieux mieux. Je me rappelle si bien comme je m'arrêtais quelquefois à regarder couler l'eau; avec quelles singulières conjectures j'en suivais le cours; les idées merveilleuses que je me faisais des régions où elle parvenait »; **2.** La dernière phrase de ce couplet est faite de deux alexandrins qu'on retrouve dans une poésie postérieure de Musset :

O patrie! ô patrie, ineffable mystère!
Mot sublime et terrible! inconcevable amour!
L'homme n'est-il donc né que pour un coin de terre,
Pour y bâtir son nid et pour y vivre un jour?

Retour, Le Havre, septembre 1855.)

LE CHŒUR. — Il s'est fait plus d'un changement pendant votre absence. Il y a des filles mariées et des garçons partis pour l'armée.

PERDICAN. — Vous me conterez tout cela. Je m'attends bien à du nouveau; mais en vérité je n'en veux pas encore. Comme ce lavoir est petit! autrefois il me paraissait immense; j'avais emporté dans ma tête un océan et des forêts, et je retrouve une goutte d'eau et des brins d'herbe. Quelle est donc cette jeune fille qui chante à sa croisée, derrière ces arbres?

LE CHŒUR. — C'est Rosette, la sœur de lait de votre cousine Camille.

PERDICAN, *s'avançant*. — Descends vite, Rosette, et viens ici.

ROSETTE, *entrant*. — Oui, monseigneur.

PERDICAN. — Tu me voyais de ta fenêtre, et tu ne venais pas, méchante fille? Donne-moi vite cette main-là et ces joues-là, que je t'embrasse.

ROSETTE. — Oui, monseigneur.

PERDICAN. — Es-tu mariée, petite? on m'a dit que tu l'étais.

ROSETTE. — Oh! non.

PERDICAN. — Pourquoi? Il n'y a pas dans le village de plus jolie fille que toi. Nous te marierons, mon enfant.

LE CHŒUR. — Monseigneur, elle veut mourir fille.

PERDICAN. — Est-ce vrai, Rosette?

ROSETTE. — Oh! non.

PERDICAN. — Ta sœur Camille est arrivée. L'as-tu vue?

ROSETTE. — Elle n'est pas encore venue par ici.

PERDICAN. — Va-t'en vite mettre ta robe neuve, et viens souper au château.

SCÈNE V. — *Entrent* LE BARON *et* MAITRE BLAZIUS.

Une salle.

MAÎTRE BLAZIUS. — Seigneur, j'ai un mot à vous dire; le curé de la paroisse est un ivrogne.

LE BARON. — Fi donc! cela ne se peut pas.

MAÎTRE BLAZIUS. — J'en suis certain. — Il a bu à dîner trois bouteilles de vin.

LE BARON. — Cela est exorbitant.

MAÎTRE BLAZIUS. — Et en sortant de table, il a marché sur les plates-bandes.

LE BARON. — Sur les plates-bandes? — Je suis confondu! — Voilà qui est étrange! — Boire trois bouteilles de vin à dîner! marcher sur les plates-bandes! c'est incompréhensible. — Et pourquoi ne marchait-il pas dans l'allée?

MAÎTRE BLAZIUS. — Parce qu'il allait de travers.

LE BARON, *à part*. — Je commence à croire que Bridaine avait raison ce matin. Ce Blazius sent le vin d'une manière horrible.

MAÎTRE BLAZIUS. — De plus il a mangé beaucoup; sa parole était embarrassée.

LE BARON. — Vraiment, je l'ai remarqué aussi.

MAÎTRE BLAZIUS. — Il a lâché quelques mots latins; c'étaient autant de solécismes[1]. Seigneur, c'est un homme dépravé.

LE BARON, *à part*. — Pouah! ce Blazius a une odeur qui est intolérable. — Apprenez, gouverneur, que j'ai bien autre chose en tête, et que je ne me mêle jamais de ce qu'on boit ni de ce qu'on mange. Je ne suis pas un majordome[2].

MAÎTRE BLAZIUS. — A Dieu ne plaise que je vous déplaise, monsieur le baron. Votre vin est bon.

LE BARON. — Il y a de bon vin dans mes caves.

MAÎTRE BRIDAINE, *entrant*. — Seigneur, votre fils est sur la place, suivi de tous les polissons du village.

LE BARON. — Cela est impossible.

MAÎTRE BRIDAINE. — Je l'ai vu de mes propres yeux. Il ramassait des cailloux pour faire des ricochets.

LE BARON. — Des ricochets! Ma tête s'égare; voilà mes idées qui se bouleversent. — Vous me faites un rapport insensé, Bridaine. Il est inouï qu'un docteur fasse des ricochets.

---

1. *Solécismes :* fautes contre la syntaxe; 2. *Majordome :* maître d'hôtel dans une grande maison.

MAÎTRE BRIDAINE. — Mettez-vous à la fenêtre, monseigneur, vous le verrez de vos propres yeux.

LE BARON, *à part*. — O ciel! Blazius a raison; Bridaine
va de travers.

MAÎTRE BRIDAINE. — Regardez, monseigneur, le voilà au
bord du lavoir. Il tient sous le bras une jeune paysanne.

LE BARON. — Une jeune paysanne? Mon fils vient-il ici
pour débaucher mes vassaux? Une paysanne sous son bras!
et tous les gamins du village autour de lui! Je me sens hors
de moi.

MAÎTRE BRIDAINE. — Cela crie vengeance.

LE BARON. — Tout est perdu! — perdu sans ressource!
— Je suis perdu : Bridaine va de travers, Blazius sent le vin
à faire horreur, et mon fils séduit toutes les filles du village
en faisant des ricochets! *(Il sort.)*

ACTE II

Scène première. — *Entrent* MAITRE BLAZIUS *et*
PERDICAN.

Un jardin.

MAÎTRE BLAZIUS. — Seigneur, votre père est au désespoir.

PERDICAN. — Pourquoi cela?

MAÎTRE BLAZIUS. — Vous n'ignorez pas qu'il avait formé
le projet de vous unir à votre cousine Camille?

PERDICAN. — Eh bien? — Je ne demande pas mieux.

MAÎTRE BLAZIUS. — Cependant le baron croit remarquer
que vos caractères ne s'accordent pas.

PERDICAN. — Cela est malheureux; je ne puis refaire le
mien.

MAÎTRE BLAZIUS. — Rendrez-vous par là ce mariage
impossible?

PERDICAN. — Je vous répète que je ne demande pas mieux
que d'épouser Camille. Allez trouver le baron et dites-lui
cela.

MAÎTRE BLAZIUS. — Seigneur, je me retire : voilà votre cousine qui vient de ce côté. (*Il sort. — Entre Camille.*)

PERDICAN. — Déjà levée, cousine ? J'en suis toujours pour ce que je t'ai dit hier : tu es jolie comme un cœur.

CAMILLE. — Parlons sérieusement, Perdican ; votre père veut nous marier. Je ne sais ce que vous en pensez ; mais je crois bien faire en vous prévenant que mon parti est pris là-dessus.

PERDICAN. — Tant pis pour moi si je vous déplais.

CAMILLE. — Pas plus qu'un autre ; je ne veux pas me marier : il n'y a rien là dont votre orgueil puisse souffrir.

PERDICAN. — L'orgueil n'est pas mon fait ; je n'en estime ni les joies ni les peines.

CAMILLE. — Je suis venue ici pour recueillir le bien de ma mère ; je retourne demain au couvent.

PERDICAN. — Il y a de la franchise dans ta démarche ; touche là, et soyons bons amis.

CAMILLE. — Je n'aime pas les attouchements.

PERDICAN, *lui prenant la main.* — Donne-moi ta main, Camille, je t'en prie. Que crains-tu de moi ? Tu ne veux pas qu'on nous marie ? eh bien ! ne nous marions pas ; est-ce une raison pour nous haïr ? ne sommes-nous pas le frère et la sœur ? Lorsque ta mère a ordonné ce mariage dans son testament, elle a voulu que notre amitié fût éternelle, voilà tout ce qu'elle a voulu. Pourquoi nous marier ? voilà ta main et voilà la mienne ; et pour qu'elles restent unies ainsi jusqu'au dernier soupir, crois-tu qu'il nous faille un prêtre ? Nous n'avons besoin que de Dieu.

CAMILLE. — Je suis bien aise que mon refus vous soit indifférent.

PERDICAN. — Il ne m'est point indifférent, Camille. Ton amour m'eût donné la vie, mais ton amitié m'en consolera. Ne quitte pas le château demain ; hier, tu as refusé de faire un tour de jardin, parce que tu voyais en moi un mari dont tu ne voulais pas. Reste ici quelques jours ; laisse-moi espérer que notre vie passée n'est pas morte à jamais dans ton cœur.

CAMILLE. — Je suis obligée de partir.

PERDICAN. — Pourquoi ?

CAMILLE. — C'est mon secret.

PERDICAN. — En aimes-tu un autre que moi?

CAMILLE. — Non; mais je veux partir.

PERDICAN. — Irrévocablement?

CAMILLE. — Oui, irrévocablement.

PERDICAN. — Eh bien! adieu. J'aurais voulu m'asseoir avec toi sous les marronniers du petit bois, et causer de bonne amitié une heure ou deux. Mais si cela te déplaît, n'en parlons plus; adieu, mon enfant. *(Il sort.)*

CAMILLE, *à dame Pluche qui entre.* — Dame Pluche, tout est-il prêt? Partirons-nous demain? Mon tuteur a-t-il fini ses comptes?

DAME PLUCHE. — Oui, chère colombe sans tache. Le baron m'a traitée de pécore hier soir, et je suis enchantée de partir.

CAMILLE. — Tenez, voilà un mot d'écrit que vous porterez avant dîner, de ma part, à mon cousin Perdican.

DAME PLUCHE. — Seigneur mon Dieu! est-ce possible? Vous écrivez un billet à un homme?

CAMILLE. — Ne dois-je pas être sa femme? Je puis bien écrire à mon fiancé.

DAME PLUCHE. — Le seigneur Perdican sort d'ici. Que pouvez-vous lui écrire? Votre fiancé, miséricorde! Serait-il vrai que vous oubliez Jésus?

CAMILLE. — Faites ce que je vous dis, et disposez tout pour notre départ. *(Elles sortent.)*

Scène II

La salle à manger. — On met le couvert.

Entre MAÎTRE BRIDAINE. — Cela est certain, on lui donnera encore aujourd'hui la place d'honneur. Cette chaise que j'ai occupée si longtemps à la droite du baron sera la proie du gouverneur. Ô malheureux que je suis! Un âne bâté, un ivrogne sans pudeur, me relègue au bas bout de la table! Le majordome lui versera le premier verre de malaga, et lorsque les plats arriveront à moi, ils seront à moitié froids, et les meilleurs morceaux déjà avalés; il ne restera

plus autour des perdreaux ni choux ni carottes. O sainte
Église catholique! Qu'on lui ait donné cette place hier, cela
se concevait; il venait d'arriver; c'était la première fois,
depuis nombre d'années, qu'il s'asseyait à cette table.
Dieu! comme il dévorait! Non, rien ne me restera que des
os et des pattes de poulet. Je ne souffrirai pas cet affront.
Adieu, vénérable fauteuil où je me suis renversé tant de fois,
gorgé de mets succulents! Adieu, bouteilles cachetées,
fumet sans pareil de venaisons cuites à point! Adieu, table
splendide, noble salle à manger, je ne dirai plus le *benedi-
cite*! Je retourne à ma cure; on ne me verra pas confondu
parmi la foule des convives, et j'aime mieux, comme César,
être le premier au village que le second dans Rome[1]. *(Il
sort.)*

Scène III. — *Entrent* ROSETTE *et* PERDICAN.

Un champ devant une petite maison.

PERDICAN. — Puisque ta mère n'y est pas, viens faire
un tour de promenade.

ROSETTE. — Croyez-vous que cela me fasse du bien, tous
ces baisers que vous me donnez?

PERDICAN. — Quel mal y trouves-tu? Je t'embrasserais
devant ta mère. N'es-tu pas la sœur de Camille? ne suis-je
pas ton frère comme je suis le sien?

ROSETTE. — Des mots sont des mots, et des baisers sont
des baisers. Je n'ai guère d'esprit, et je m'en aperçois bien
sitôt que je veux dire quelque chose. Les belles dames savent
leur affaire, selon qu'on leur baise la main droite ou la main
gauche; leurs pères les embrassent sur le front, leurs frères
sur la joue, leurs amoureux sur les lèvres; moi, tout le
monde m'embrasse sur les deux joues, et cela me chagrine.

PERDICAN. — Que tu es jolie, mon enfant!

ROSETTE. — Il ne faut pas non plus vous fâcher pour
cela. Comme vous paraissez triste ce matin! Votre mariage
est donc manqué?

PERDICAN. — Les paysans de ton village se souviennent
de m'avoir aimé; les chiens de la basse-cour et les arbres

---

1. César, traversant un village des Alpes, déclara qu'il aimerait mieux y
être le premier que le second à Rome.

du bois s'en souviennent aussi; mais Camille ne s'en souvient pas. Et toi, Rosette, à quand le mariage?

ROSETTE. — Ne parlons pas de cela, voulez-vous? Parlons du temps qu'il fait, de ces fleurs que voilà, de vos chevaux et de mes bonnets.

PERDICAN. — De tout ce qui te plaira, de tout ce qui peut passer sur tes lèvres sans leur ôter ce sourire céleste que je respecte plus que ma vie. (*Il l'embrasse.*)

ROSETTE. — Vous respectez mon sourire, mais vous ne respectez guère mes lèvres, à ce qu'il me semble. Regardez donc, voilà une goutte de pluie qui me tombe sur la main, et cependant le ciel est pur.

PERDICAN. — Pardonne-moi.

ROSETTE. — Que vous ai-je fait, pour que vous pleuriez? (*Ils sortent.*)

SCÈNE IV. — *Entrent* MAITRE BLAZIUS
et LE BARON.

Au château.

MAÎTRE BLAZIUS. — Seigneur, j'ai une chose singulière à vous dire. Tout à l'heure, j'étais par hasard dans l'office, je veux dire dans la galerie — qu'aurais-je été faire dans l'office? — j'étais donc dans la galerie. J'avais trouvé par accident une bouteille, je veux dire une carafe d'eau — comment aurais-je trouvé une bouteille dans la galerie? — J'étais donc en train de boire un coup de vin, je veux dire un verre d'eau, pour passer le temps, et je regardais par la fenêtre, entre deux vases de fleurs qui me paraissaient d'un goût moderne, bien qu'ils soient imités de l'étrusque.

LE BARON. — Quelle insupportable manière de parler vous avez adoptée, Blazius! Vos discours sont inexplicables.

MAÎTRE BLAZIUS. — Écoutez-moi, seigneur, prêtez-moi un moment d'attention. Je regardais donc par la fenêtre. Ne vous impatientez pas, au nom du ciel! il y va de l'honneur de la famille.

LE BARON. — De la famille! Voilà qui est incompréhensible. De l'honneur de la famille, Blazius. Savez-vous que nous sommes trente-sept mâles, et presque autant de femmes, tant à Paris qu'en province?

MAÎTRE BLAZIUS. — Permettez-moi de continuer. Tandis que je buvais un coup de vin, je veux dire un verre d'eau, pour hâter la digestion tardive, imaginez que j'ai vu passer sous la fenêtre dame Pluche hors d'haleine.

LE BARON. — Pourquoi hors d'haleine, Blazius? Ceci est insolite.

MAÎTRE BLAZIUS. — Et à côté d'elle, rouge de colère, votre nièce Camille.

LE BARON. — Qui était rouge de colère, ma nièce, ou dame Pluche?

MAÎTRE BLAZIUS. — Votre nièce, seigneur.

LE BARON. — Ma nièce rouge de colère! Cela est inouï! Et comment savez-vous que c'était de colère? Elle pouvait être rouge pour mille raisons; elle avait sans doute poursuivi quelques papillons dans mon parterre.

MAÎTRE BLAZIUS. — Je ne puis rien affirmer là-dessus; cela se peut; mais elle s'écriait avec force : « Allez-y! trouvez-le! faites ce qu'on vous dit! vous êtes une sotte! je le veux! » Et elle frappait avec son éventail sur le coude de dame Pluche, qui faisait un soubresaut dans la luzerne à chaque exclamation.

LE BARON. — Dans la luzerne?... Et que répondait la gouvernante aux extravagances de ma nièce? car cette conduite mérite d'être qualifiée ainsi.

MAÎTRE BLAZIUS. — La gouvernante répondait : « Je ne veux pas y aller! Je ne l'ai pas trouvé! Il fait la cour aux filles du village, à des gardeuses de dindons. Je suis trop vieille pour commencer à porter des messages d'amour; grâce à Dieu, j'ai vécu les mains pures jusqu'ici » — et tout en parlant, elle froissait dans ses mains un petit papier plié en quatre.

LE BARON. — Je n'y comprends rien; mes idées s'embrouillent tout à fait. Quelle raison pouvait avoir dame Pluche pour froisser un papier plié en quatre en faisant des soubresauts dans une luzerne? Je ne puis ajouter foi à de pareilles monstruosités.

MAÎTRE BLAZIUS. — Ne comprenez-vous pas clairement, seigneur, ce que cela signifiait?

LE BARON. — Non, en vérité, non, mon ami, je n'y comprends absolument rien. Tout cela me paraît une conduite désordonnée, il est vrai, mais sans motif comme sans excuse.

MAÎTRE BLAZIUS. — Cela veut dire que votre nièce a une correspondance secrète.

LE BARON. — Que dites-vous? Songez-vous de qui vous parlez? Pesez vos paroles, monsieur l'abbé.

MAÎTRE BLAZIUS. — Je les pèserais dans la balance céleste qui doit peser mon âme au jugement dernier, que je n'y trouverais pas un mot qui sente la fausse monnaie. Votre nièce a une correspondance secrète.

LE BARON. — Mais songez donc, mon ami, que cela est impossible!

MAÎTRE BLAZIUS. — Pourquoi aurait-elle chargé sa gouvernante d'une lettre? Pourquoi aurait-elle crié : *Trouvez-le!* tandis que l'autre boudait et rechignait?

LE BARON. — Et à qui était adressée cette lettre?

MAÎTRE BLAZIUS. — Voilà précisément le *hic*, monseigneur, *hic jacet lepus*[1]. A qui était adressée cette lettre? à un homme qui fait la cour à une gardeuse de dindons. Or, un homme qui recherche en public une gardeuse de dindons peut être soupçonné violemment d'être né pour les garder lui-même. Cependant il est impossible que votre nièce, avec l'éducation qu'elle a reçue, soit éprise d'un tel homme; voilà ce que je dis, et ce qui fait que je n'y comprends rien non plus que vous, révérence parler[2].

LE BARON. — O ciel! ma nièce m'a déclaré ce matin même qu'elle refusait son cousin Perdican. Aimerait-elle un gardeur de dindons? Passons dans mon cabinet; j'ai éprouvé depuis hier des secousses si violentes que je ne puis rassembler mes idées. (*Ils sortent.*)

Scène V

Une fontaine dans un bois.

Entre PERDICAN, *lisant un billet.* — « Trouvez-vous à midi à la petite fontaine. » Que veut dire cela? tant de froideur,

---

1. *Hic jacet lepus* : ici gît le lièvre. C'est ici qu'est la difficulté. Métaphore autrefois utilisée dans les controverses en latin; **2.** *Révérence parler,* excuse dont on se sert, quand on dit quelque chose qui pourrait déplaire ou blesser.

un refus si positif, si cruel, un orgueil[1] si insensible, et un rendez-vous par-dessus tout ? Si c'est pour me parler d'affaires, pourquoi choisir un pareil endroit ? Est-ce une coquetterie[2] ? Ce matin, en me promenant avec Rosette, j'ai entendu remuer dans les broussailles, et il m'a semblé que c'était un pas de biche Y a-t-il ici quelque intrigue ? *(Entre Camille.)*

CAMILLE. — Bonjour, cousin ; j'ai cru m'apercevoir, à tort ou à raison, que vous me quittiez tristement ce matin. Vous m'avez pris la main malgré moi, je viens vous demander de me donner la vôtre. Je vous ai refusé un baiser, le voilà. *(Elle l'embrasse.)* Maintenant, vous m'avez dit que vous seriez bien aise de causer de bonne amitié. Asseyez-vous là, et causons. *(Elle s'assoit.)*

PERDICAN. — Avais-je fait un rêve, ou en fais-je un autre en ce moment ?

CAMILLE. — Vous avez trouvé singulier de recevoir un billet de moi, n'est-ce pas ? Je suis d'humeur changeante ; mais vous m'avez dit ce matin un mot très juste : « Puisque nous nous quittons, quittons-nous bons amis. » Vous ne savez pas la raison pour laquelle je pars, et je viens vous la dire : je vais prendre le voile.

PERDICAN. — Est-ce possible ? Est-ce toi, Camille, que je vois dans cette fontaine, assise sur les marguerites, comme aux jours d'autrefois ?

CAMILLE. — Oui, Perdican, c'est moi. Je viens revivre un quart d'heure de la vie passée. Je vous ai paru brusque et hautaine ; cela est tout simple, j'ai renoncé au monde. Cependant, avant de le quitter, je serais bien aise d'avoir votre avis. Trouvez-vous que j'ai raison de me faire religieuse ?

PERDICAN. — Ne m'interrogez pas là-dessus, car je ne me ferai jamais moine.

CAMILLE. — Depuis près de dix ans que nous avons vécu éloignés l'un de l'autre, vous avez commencé l'expérience de la vie. Je sais quel homme vous êtes, et vous devez avoir beaucoup appris en peu de temps avec un cœur et un esprit comme les vôtres. Dites-moi, avez-vous eu des maîtresses ?

1. C'est l'orgueil que Perdican reproche surtout à Camille, comme Musset se plaignait de l'orgueil de George Sand ; 2. Le dépit de voir Perdican faire la cour à Rosette amène, en effet Camille à user de coquetterie.

PERDICAN. — Pourquoi cela?

CAMILLE. — Répondez-moi, je vous en prie, sans modestie et sans fatuité.

PERDICAN. — J'en ai eu.

CAMILLE. — Les avez-vous aimées?

PERDICAN. — De tout mon cœur.

CAMILLE. — Où sont-elles maintenant? Le savez-vous?

PERDICAN. — Voilà, en vérité, des questions singulières. Que voulez-vous que je vous dise? Je ne suis ni leur mari ni leur frère; elles sont allées où bon leur a semblé.

CAMILLE. — Il doit nécessairement y en avoir une que vous ayez préférée aux autres. Combien de temps avez-vous aimé celle que vous avez aimée le mieux?

PERDICAN. — Tu es une drôle de fille! Veux-tu te faire mon confesseur?

CAMILLE. — C'est une grâce que je vous demande de me répondre sincèrement. Vous n'êtes point un libertin[1], et je crois que votre cœur a de la probité. Vous avez dû inspirer l'amour, car vous le méritez, et vous ne vous seriez pas livré à un caprice. Répondez-moi, je vous en prie.

PERDICAN. — Ma foi, je ne m'en souviens pas.

CAMILLE. — Connaissez-vous un homme qui n'ait aimé qu'une femme?

PERDICAN. — Il y en a certainement.

CAMILLE. — Est-ce un de vos amis? Dites-moi son nom.

PERDICAN. — Je n'ai pas de nom à vous dire; mais je crois qu'il y a des hommes capables de n'aimer qu'une fois.

CAMILLE. — Combien de fois un honnête homme peut-il aimer?

PERDICAN. — Veux-tu me faire réciter une litanie[2], ou récites-tu toi-même un catéchisme?

CAMILLE. — Je voudrais m'instruire, et savoir si j'ai tort ou raison de me faire religieuse. Si je vous épousais, ne devriez-vous pas répondre avec franchise à toutes mes questions, et me montrer votre cœur à nu? Je vous estime

1. *Libertin* : débauché; 2. *Litanie* : longue et ennuyeuse énumération.

beaucoup, et je vous crois, par votre éducation et par votre nature, supérieur à beaucoup d'autres hommes. Je suis fâchée que vous ne vous souveniez plus de ce que je vous demande; peut-être en vous connaissant mieux je m'enhardirais.

PERDICAN. — Où veux-tu en venir? parle; je répondrai.

CAMILLE. — Répondez donc à ma première question. Ai-je raison de rester au couvent?

PERDICAN. — Non.

CAMILLE. — Je ferais donc mieux de vous épouser?

PERDICAN. — Oui.

CAMILLE. — Si le curé de votre paroisse soufflait sur un verre d'eau, et vous disait que c'est un verre de vin, le boiriez-vous comme tel?

PERDICAN. — Non

CAMILLE. — Si le curé de votre paroisse soufflait sur vous, et me disait que vous m'aimerez toute votre vie, aurais-je raison de le croire?

PERDICAN. — Oui et non.

CAMILLE. — Que me conseilleriez-vous de faire le jour où je verrais que vous ne m'aimez plus?

PERDICAN. — De prendre un amant.

CAMILLE. — Que ferai-je ensuite le jour où mon amant ne m'aimera plus?

PERDICAN. — Tu en prendras un autre.

CAMILLE. — Combien de temps cela durera-t-il?

PERDICAN. — Jusqu'à ce que tes cheveux soient gris, et alors les miens seront blancs.

CAMILLE. — Savez-vous ce que c'est que les cloîtres, Perdican? Vous êtes-vous jamais assis un jour entier sur le banc d'un monastère de femmes?

PERDICAN. — Oui, je m'y suis assis.

CAMILLE. — J'ai pour amie une sœur qui n'a que trente ans, et qui a eu cinq cent mille livres de revenu à l'âge de quinze ans. C'est la plus belle et la plus noble créature qui ait marché sur terre. Elle était pairesse du parlement et avait pour mari un des hommes les plus distingués de France.

Aucune des nobles facultés humaines n'était restée sans culture en elle, et, comme un arbrisseau d'une sève choisie, tous ses bourgeons avaient donné des ramures. Jamais l'amour et le bonheur ne poseront leur couronne fleurie sur un front plus beau. Son mari l'a trompée; elle a aimé un autre homme, et elle se meurt de désespoir.

PERDICAN. — Cela est possible.

CAMILLE. — Nous habitons la même cellule, et j'ai passé des nuits entières à parler de ses malheurs; ils sont presque devenus les miens; cela est singulier, n'est-ce pas? Je ne sais trop comment cela se fait. Quand elle me parlait de son mariage, quand elle me peignait d'abord l'ivresse des premiers jours, puis la tranquillité des autres, et comme enfin tout s'était envolé; comme elle était assise le soir au coin du feu, et lui auprès de la fenêtre, sans se dire un seul mot; comme leur amour avait langui, et comme tous les efforts pour se rapprocher n'aboutissaient qu'à des querelles; comme une figure étrangère est venue peu à peu se placer entre eux et se glisser dans leurs souffrances; c'était moi que je voyais agir tandis qu'elle parlait. Quand elle disait : « Là, j'ai été heureuse », mon cœur bondissait; et quand elle ajoutait : « Là, j'ai pleuré », mes larmes coulaient. Mais figurez-vous quelque chose de plus singulier encore; j'avais fini par me créer une vie imaginaire; cela a duré quatre ans; il est inutile de vous dire par combien de réflexions, de retours sur moi-même, tout cela est venu. Ce que je voulais vous raconter comme une curiosité, c'est que tous les récits de Louise, toutes les fictions de mes rêves portaient votre ressemblance.

PERDICAN. — Ma ressemblance, à moi?

CAMILLE. — Oui, et cela est naturel : vous étiez le seul homme que j'eusse connu. En vérité, je vous ai aimé, Perdican.

PERDICAN. — Quel âge as-tu, Camille?

CAMILLE. — Dix-huit ans.

PERDICAN. — Continue, continue; j'écoute.

CAMILLE. — Il y a deux cents femmes dans notre couvent; un petit nombre de ces femmes ne connaîtra jamais la vie, et tout le reste attend la mort. Plus d'une parmi elles sont sorties du monastère comme j'en sors aujourd'hui, vierges et pleines d'espérances. Elles sont revenues peu de temps après, vieilles et désolées. Tous les jours il en meurt dans nos dortoirs, et tous les jours il en vient de nouvelles prendre la place des mortes sur les matelas de crin. Les étrangers qui nous visitent admirent le calme et l'ordre de la maison; ils regardent attentivement la blancheur de nos voiles, mais ils se demandent pourquoi nous les rabaissons sur nos yeux. Que pensez-vous de ces femmes, Perdican? Ont-elles tort, ou ont-elles raison?

PERDICAN. — Je n'en sais rien.

CAMILLE. — Il s'en est trouvé quelques-unes qui me conseillent de rester vierge. Je suis bien aise de vous consulter. Croyez-vous que ces femmes-là auraient mieux fait de prendre un amant et de me conseiller d'en faire autant?

PERDICAN. — Je n'en sais rien.

CAMILLE. — Vous aviez promis de me répondre.

PERDICAN. — J'en suis dispensé tout naturellement; je ne crois pas que ce soit toi qui parles.

CAMILLE. — Cela se peut, il doit y avoir dans toutes mes idées des choses très ridicules. Il se peut bien qu'on m'ait fait la leçon, et que je ne sois qu'un perroquet mal appris. Il y a dans la galerie un petit tableau qui représente un moine courbé sur un missel; à travers les barreaux obscurs de sa cellule glisse un faible rayon de soleil, et on aperçoit une locanda[1] italienne, devant laquelle danse un chevrier. Lequel de ces deux hommes estimez-vous davantage?

PERDICAN. — Ni l'un ni l'autre et tous les deux. Ce sont deux hommes de chair et d'os; il y en a un qui lit et un autre qui danse; je n'y vois pas autre chose. Tu as raison de te faire religieuse.

CAMILLE. — Vous me disiez non tout à l'heure.

PERDICAN. — Ai-je dit non? Cela est possible.

CAMILLE. — Ainsi vous me le conseillez?

PERDICAN. — Ainsi tu ne crois à rien?

---

1. *Locanda* : auberge en Italie.

CAMILLE. — Lève la tête, Perdican! quel est l'homme qui ne croit à rien?

PERDICAN, *se levant.* — En voilà un; je ne crois pas à la vie immortelle[1]. — Ma sœur chérie, les religieuses t'ont donné leur expérience; mais, crois-moi, ce n'est pas la tienne; tu ne mourras pas sans aimer.

CAMILLE. — Je veux aimer, mais je ne veux pas souffrir; je veux aimer d'un amour éternel, et faire des serments qui ne se violent pas. Voilà mon amant. *(Elle montre son crucifix.)*

PERDICAN. — Cet amant-là n'exclut pas les autres.

CAMILLE. — Pour moi, du moins, il les exclura. Ne souriez pas, Perdican! Il y a dix ans que je ne vous ai vu, et je pars demain. Dans dix autres années, si nous nous revoyons, nous en reparlerons. J'ai voulu ne pas rester dans votre souvenir comme une froide statue, car l'insensibilité mène au point où j'en suis. Écoutez-moi, retournez à la vie, et tant que vous serez heureux, tant que vous aimerez comme on peut aimer sur la terre, oubliez votre sœur Camille; mais s'il vous arrive jamais d'être oublié ou d'oublier vous-même, si l'ange de l'espérance vous abandonne, lorsque vous serez seul avec le vide dans le cœur, pensez à moi qui prierai pour vous.

PERDICAN. — Tu es une orgueilleuse; prends garde à toi.

CAMILLE. — Pourquoi?

PERDICAN. — Tu as dix-huit ans, et tu ne crois pas à l'amour?

CAMILLE. — Y croyez-vous, vous qui parlez? vous voilà courbé près de moi avec des genoux qui se sont usés sur les tapis de vos maîtresses, et vous n'en savez plus le nom. Vous avez pleuré des larmes de joie et des larmes de désespoir; mais vous saviez que l'eau des sources est plus constante que vos larmes, et qu'elle serait toujours là pour laver vos paupières gonflées. Vous faites votre métier de jeune homme, et vous souriez quand on vous parle de femmes désolées; vous ne croyez pas qu'on puisse mourir d'amour, vous qui vivez et qui avez aimé. Qu'est-ce donc que le

---

1. Musset dit dans *la Confession d'un enfant du siècle* : « Empoisonné, dès l'adolescence, de tous les écrits du dernier siècle, j'y avais sucé de bonne heure le lait stérile de l'impiété. L'orgueil humain, ce dieu de l'égoïsme, fermait ma bouche à la prière, tandis que mon âme effrayée se réfugiait dans l'espoir du néant »

monde ? Il me semble que vous devez cordialement mépriser les femmes qui vous prennent tel que vous êtes, et qui chassent leur dernier amant pour vous attirer dans leurs bras avec les baisers d'un autre sur les lèvres. Je vous demandais tout à l'heure si vous aviez aimé; vous m'avez répondu comme un voyageur à qui l'on demanderait s'il a été en Italie ou en Allemagne, et qui dirait : Oui, j'y ai été; puis qui penserait à aller en Suisse, ou dans le premier pays venu. Est-ce donc une monnaie que votre amour pour qu'il puisse passer ainsi de mains en mains jusqu'à la mort ? Non, ce n'est pas même une monnaie, car la plus mince pièce d'or vaut mieux que vous, et, dans quelques mains qu'elle passe, elle garde son effigie.

PERDICAN. — Que tu es belle, Camille, lorsque tes yeux s'animent!

CAMILLE. — Oui, je suis belle, je le sais. Les complimenteurs ne m'apprendront rien; la froide nonne qui coupera mes cheveux pâlira peut-être de sa mutilation; mais ils ne se changeront pas en bagues et en chaînes pour courir les boudoirs[1]; il n'en manquera pas un seul sur ma tête lorsque le fer y passera; je ne veux qu'un coup de ciseau, et quand le prêtre qui me bénira me mettra au doigt l'anneau d'or de mon époux céleste, la mèche de cheveux que je lui donnerai pourra lui[2] servir de manteau.

PERDICAN. — Tu es en colère, en vérité.

CAMILLE. — J'ai eu tort de parler; j'ai ma vie entière sur les lèvres. O Perdican! ne raillez pas, tout cela est triste à mourir

PERDICAN. — Pauvre enfant, je te laisse dire, et j'ai bien envie de te répondre un mot. Tu me parles d'une religieuse qui me paraît avoir eu sur toi une influence funeste; tu dis qu'elle a été trompée, qu'elle a trompé elle-même, et qu'elle est désespérée. Es-tu sûre que si son mari ou son amant revenait lui tendre la main à travers la grille du parloir, elle ne lui tendrait pas la sienne ?

CAMILLE. — Qu'est-ce que vous dites ? J'ai mal entendu.

---

1. On lit dans une lettre de Stendhal à Balzac que le prince de Metternich portait un bracelet des cheveux d'une femme qu'il aimait; 2. *Lui*, grammaticalement désigne le prêtre. Camille veut donc dire que sa chevelure ferait au prêtre un vêtement pour monter à l'autel. Il y a dans ce couplet quelques fautes de goût et un peu de déclamation.

PERDICAN. — Es-tu sûre que si son mari ou son amant revenait lui dire de souffrir encore, elle répondrait non ?

CAMILLE. — Je le crois.

PERDICAN. — Il y a deux cents femmes dans ton monastère, et la plupart ont au fond du cœur des blessures profondes; elles te les ont fait toucher, et elles ont coloré ta pensée virginale des gouttes de leur sang. Elles ont vécu, n'est-ce pas ? et elles t'ont montré avec horreur la route de leur vie; tu t'es signée[1] devant leurs cicatrices, comme devant les plaies de Jésus; elles t'ont fait une place dans leurs processions lugubres, et tu te serres contre ces corps décharnés avec une crainte religieuse, lorsque tu vois passer un homme. Es-tu sûre que si l'homme qui passe était celui qui les a trompées, celui pour qui elles pleurent et elles souffrent, celui qu'elles maudissent en priant Dieu, es-tu sûre qu'en le voyant elles ne briseraient pas leurs chaînes pour courir à leurs malheurs passés, et pour presser leurs poitrines sanglantes sur le poignard qui les a meurtries ? O mon enfant ! sais-tu les rêves de ces femmes qui te disent de ne pas rêver ? Sais-tu quel nom elles murmurent quand les sanglots qui sortent de leurs lèvres font trembler l'hostie qu'on leur présente ? Elles qui s'assoient près de toi avec leurs têtes branlantes pour verser dans ton oreille leur vieillesse flétrie, elles qui sonnent dans les ruines de ta jeunesse le tocsin de leur désespoir, et qui font sentir à ton sang vermeil la fraîcheur de leur tombe, sais-tu qui elles sont ?

CAMILLE. — Vous me faites peur; la colère vous prend aussi.

PERDICAN. — Sais-tu ce que c'est que ces nonnes, malheureuse fille ? Elles qui te représentent l'amour des hommes comme un mensonge, savent-elles qu'il y a pis encore, le mensonge de l'amour divin ? Savent-elles que c'est un crime qu'elles font, de venir chuchoter à une vierge des paroles de femme ? Ah ! comme elles t'ont fait la leçon ! Comme j'avais prévu tout cela quand tu t'es arrêtée devant le portrait de notre vieille tante ! Tu voulais partir sans me serrer la main; tu ne voulais revoir ni ce bois, ni cette pauvre petite fontaine qui nous regarde tout en larmes; tu reniais les jours de ton enfance, et le masque de plâtre que les

---

1. *Tu t'es signée* : tu as fait le signe de la croix.

nonnes t'ont placé sur les joues me refusait un baiser de
frère; mais ton cœur a battu; il a oublié sa leçon, lui qui ne
sait pas lire, et tu es revenue t'asseoir sur l'herbe où nous
voilà. Eh bien! Camille, ces femmes ont bien parlé; elles
t'ont mise dans le vrai chemin; il pourra m'en coûter le
bonheur de ma vie; mais dis-leur cela de ma part : le ciel
n'est pas pour elles[1].

CAMILLE. — Ni pour moi, n'est-ce pas?

PERDICAN. — Adieu, Camille, retourne à ton couvent, et
lorsqu'on te fera de ces récits hideux qui t'ont empoisonnée,
réponds ce que je vais te dire : Tous les hommes sont men-
teurs, inconstants, faux, bavards, hypocrites, orgueilleux ou
lâches, méprisables et sensuels; toutes les femmes sont
perfides, artificieuses, vaniteuses, curieuses et dépravées;
le monde n'est qu'un égout sans fond où les phoques les
plus informes rampent et se tordent sur des montagnes de
fange[2]; mais il y a au monde une chose sainte et sublime,
c'est l'union de deux de ces êtres si imparfaits et si affreux[3].
On est souvent trompé en amour, souvent blessé et souvent
malheureux; mais on aime, et quand on est sur le bord de
sa tombe, on se retourne pour regarder en arrière, et on se
dit : J'ai souffert souvent, je me suis trompé quelquefois,
mais j'ai aimé. C'est moi qui ai vécu, et non pas un être
factice créé par mon orgueil et mon ennui[4]. *(Il sort.)*

1. **Tout** ce passage où Perdican attaque avec tant de véhémence l'éducation
donnée dans les couvents, est inspiré des philosophes du XVIIIe siècle, notam-
ment de Diderot *(la Religieuse)* ; 2. Images, dans le goût de Jean-Paul Richter,
dont Musset disait qu'il est à l'occasion « grotesque, trivial, cynique » (article
du *Temps*, 17 mai 1831); 3. « Deux êtres qui s'aiment bien sur terre font un
ange dans le ciel; voilà ce que j'ai trouvé l'autre jour dans un ouvrage nouveau. »
(Lettre de Musset à George Sand, juin 1834); 4. Le 12 mai 1834, George
Sand écrivait à Musset : « Mais ton cœur, ton bon cœur, ne le tue pas, je
t'en prie. Qu'il se mette tout entier dans toutes les amours de ta vie, mais
qu'il y joue toujours son noble rôle, afin qu'un jour tu puisses regarder en
arrière et dire comme moi : *j'ai souffert souvent, je me suis trompé quelquefois,
mais j'ai aimé. C'est moi qui ai vécu, et non pas un être factice créé par mon orgueil
et mon ennui.* » En 1842, Musset, parlant de la princesse Belgiojoso qu'il avait
aimée et qui s'était jouée de lui, écrira les vers suivants :

> Elle aurait aimé si l'orgueil
> Pareil à la lampe inutile
> Qu'on allume près d'un cercueil,
> N'eût veillé sur son cœur stérile.
> Elle est morte et n'a point vécu.
> Elle faisait semblant de vivre.
> De ses mains est tombé le livre
> Dans lequel elle n'a rien lu.

(Sur une morte.)

ACTE III

Scène première. — *Entrent* LE BARON *et* MAITRE
     BLAZIUS.

Devant le château.

LE BARON. — Indépendamment de votre ivrognerie, vous
êtes un belître[1], maître Blazius. Mes valets vous voient entrer
furtivement dans l'office, et quand vous êtes convaincu
d'avoir volé mes bouteilles de la manière la plus pitoyable,
vous croyez vous justifier en accusant ma nièce d'une
correspondance secrète.

MAÎTRE BLAZIUS. — Mais, monseigneur, veuillez vous
rappeler...

LE BARON. — Sortez, monsieur l'abbé, et ne reparaissez
jamais devant moi; il est déraisonnable d'agir comme vous
le faites, et ma gravité m'oblige à ne vous pardonner de ma
vie. *(Il sort ; maître Blazius le suit. Entre Perdican.)*

PERDICAN. — Je voudrais bien savoir si je suis amoureux.
D'un côté, cette manière d'interroger tant soit peu cavalière,
pour une fille de dix-huit ans; d'un autre, les idées que ces
nonnes lui ont fourrées dans la tête auront de la peine à se
corriger. De plus, elle doit partir aujourd'hui. Diable! je
l'aime, cela est sûr. Après tout, qui sait ? peut-être elle répé-
tait une leçon, et d'ailleurs il est clair qu'elle ne se soucie
pas de moi. D'une autre part, elle a beau être jolie, cela
n'empêche pas qu'elle n'ait des manières beaucoup trop
décidées, et un ton trop brusque. Je n'ai qu'à n'y plus
penser; il est clair que je ne l'aime pas. Cela est certain
qu'elle est jolie; mais pourquoi cette conversation d'hier
ne veut-elle pas me sortir de la tête ? En vérité j'ai passé la
nuit à radoter. — Où vais-je donc ? — Ah! je vais au village. *(Il sort.)*

Scène II

Un chemin.

Entre MAÎTRE BRIDAINE. — Que font-ils maintenant ?
Hélas! voilà midi. — Ils sont à table. Que mangent-ils ?

---

1. *Belître* : coquin pédant, vil cuistre. Dans *le Bourgeois gentilhomme*, le
maître de musique apostrophe le maître de philosophie en ces termes : « Allez,
belître de pédant! » (II, III).

Que ne mangent-ils pas? J'ai vu la cuisinière traverser le village avec un énorme dindon. L'aide portait les truffes, avec un panier de raisins. *(Entre maître Blazius.)*

MAÎTRE BLAZIUS. — O disgrâce imprévue! me voilà chassé du château, par conséquent de la salle à manger. Je ne boirai plus le vin de l'office.

MAÎTRE BRIDAINE. — Je ne verrai plus fumer les plats; je ne chaufferai plus au feu de la noble cheminée mon ventre copieux.

MAÎTRE BLAZIUS. — Pourquoi une fatale curiosité m'a-t-elle poussé à écouter le dialogue de dame Pluche et de la nièce? Pourquoi ai-je rapporté au baron tout ce que j'ai vu?

MAÎTRE BRIDAINE. — Pourquoi un vain orgueil m'a-t-il éloigné de ce dîner honorable, où j'étais si bien accueilli? Que m'importait d'être à droite ou à gauche?

MAÎTRE BLAZIUS. — Hélas! j'étais gris, il faut en convenir, lorsque j'ai fait cette folie.

MAÎTRE BRIDAINE. — Hélas! le vin m'avait monté à la tête quand j'ai commis cette imprudence.

MAÎTRE BLAZIUS. — Il me semble que voilà le curé.

MAÎTRE BRIDAINE. — C'est le gouverneur en personne.

MAÎTRE BLAZIUS. — Oh! oh! monsieur le curé, que faites-vous là?

MAÎTRE BRIDAINE. — Moi! je vais dîner. N'y venez-vous pas?

MAÎTRE BLAZIUS. — Pas aujourd'hui. Hélas! maître Bridaine, intercédez pour moi; le baron m'a chassé. J'ai accusé faussement mademoiselle Camille d'avoir une correspondance secrète, et cependant Dieu m'est témoin que j'ai vu ou que j'ai cru voir dame Pluche dans la luzerne. Je suis perdu, monsieur le curé.

MAÎTRE BRIDAINE. — Que m'apprenez-vous là?

MAÎTRE BLAZIUS. — Hélas! hélas! la vérité. Je suis en disgrâce complète pour avoir volé une bouteille.

MAÎTRE BRIDAINE. — Que parlez-vous, messire, de bouteilles volées à propos d'une luzerne et d'une correspondance?

MAÎTRE BLAZIUS. — Je vous supplie de plaider ma cause.

Je suis honnête, seigneur Bridaine. O digne seigneur Bridaine, je suis votre serviteur!

MAÎTRE BRIDAINE, *à part.* — O fortune! est-ce un rêve? je serai donc assis sur toi, ô chaise bienheureuse!

MAÎTRE BLAZIUS. — Je vous serai reconnaissant d'écouter mon histoire, et de vouloir bien m'excuser, brave seigneur, cher curé.

MAÎTRE BRIDAINE. — Cela m'est impossible, monsieur; il est midi sonné, et je m'en vais dîner. Si le baron se plaint de vous, c'est votre affaire. Je n'intercède point pour un ivrogne. *(A part.)* Vite, volons à la grille; et toi, mon ventre, arrondis-toi. *(Il sort en courant.)*

MAÎTRE BLAZIUS, *seul.* — Misérable Pluche! c'est toi qui payeras pour tous; oui, c'est toi qui es la cause de ma ruine, femme déhontée[1], vile entremetteuse, c'est à toi que je dois cette disgrâce. O sainte Université de Paris! on me traite d'ivrogne! Je suis perdu si je ne saisis une lettre, et si je ne prouve au baron que sa nièce a une correspondance. Je l'ai vue ce matin écrire à son bureau. Patience! voici du nouveau. *(Passe dame Pluche portant une lettre.)* Pluche, donnez-moi cette lettre.

DAME PLUCHE. — Que signifie cela? C'est une lettre de ma maîtresse que je vais mettre à la poste au village.

MAÎTRE BLAZIUS. — Donnez-la-moi, ou vous êtes morte.

DAME PLUCHE. — Moi, morte! morte! Marie, Jésus, vierge et martyr!

MAÎTRE BLAZIUS. — Oui, morte, Pluche! Donnez-moi ce papier. *(Ils se battent. Entre Perdican.)*

PERDICAN. — Qu'y a-t-il? Que faites-vous, Blazius? Pourquoi violenter cette femme?

DAME PLUCHE. — Rendez-moi la lettre. Il me l'a prise, seigneur; justice!

MAÎTRE BLAZIUS. — C'est une entremetteuse, seigneur. Cette lettre est un billet doux.

DAME PLUCHE. — C'est une lettre de Camille, seigneur, de votre fiancée.

---

1. *Déhontée* : syn. vieilli de *éhontée*.

MAÎTRE BLAZIUS. — C'est un billet doux à un gardeur de dindons.

DAME PLUCHE. — Tu en as menti, abbé. Apprends cela de moi.

PERDICAN. — Donnez-moi cette lettre; je ne comprends rien à votre dispute; mais, en qualité de fiancé de Camille, je m'arroge le droit de la lire. *(Il lit.)* « A la sœur Louise, au couvent de ***. » *(A part.)* Quelle maudite curiosité me saisit malgré moi! Mon cœur bat avec force, et je ne sais ce que j'éprouve. — Retirez-vous, dame Pluche; vous êtes une digne femme et maître Blazius est un sot. Allez dîner; je me charge de remettre cette lettre à la poste. *(Sortent maître Blazius et dame Pluche.)*

PERDICAN, *seul*. — Que ce soit un crime d'ouvrir une lettre, je le sais trop bien pour le faire. Que peut dire Camille à cette sœur? Suis-je donc amoureux? Quel empire a donc pris sur moi cette singulière fille, pour que les trois mots écrits sur cette adresse me fassent trembler la main? Cela est singulier; Blazius, en se débattant avec la dame Pluche, a fait sauter le cachet. Est-ce un crime de rompre le pli? Bon, je n'y changerai rien. *(Il ouvre la lettre et lit.)*

« Je pars aujourd'hui, ma chère, et tout est arrivé comme
« je l'avais prévu. C'est une terrible chose; mais ce pauvre
« jeune homme a le poignard dans le cœur; il ne se conso-
« lera pas de m'avoir perdue. Cependant j'ai fait tout au
« monde pour le dégoûter de moi. Dieu me pardonnera
« de l'avoir réduit au désespoir par mon refus. Hélas! ma
« chère, que pouvais-je y faire? Priez pour moi; nous nous
« reverrons demain, et pour toujours. Toute à vous du
« meilleur de mon âme.

« CAMILLE. »

Est-il possible? Camille écrit cela! C'est de moi qu'elle parle ainsi! Moi au désespoir de son refus! Eh! bon Dieu! si cela était vrai, on le verrait bien; quelle honte peut-il y avoir à aimer? Elle a fait tout au monde pour me dégoûter, dit-elle, et j'ai le poignard dans le cœur? Quel intérêt peut-elle avoir à inventer un roman pareil? Cette pensée que j'avais cette nuit est-elle donc vraie? O femmes! Cette pauvre Camille a peut-être une grande piété! c'est de bon cœur qu'elle se donne à Dieu, mais elle a résolu et décrété qu'elle me laisserait au désespoir. Cela était convenu entre les bonnes amies avant de partir du couvent. On a décidé que Camille allait revoir son cousin, qu'on voudrait le lui faire épouser, qu'elle refuserait, et que le cousin serait désolé. Cela est si intéressant, une jeune fille qui fait à Dieu le sacrifice du bonheur d'un cousin! Non, non, Camille, je ne t'aime pas, je ne suis pas au désespoir, je n'ai pas le poignard dans le cœur, et je te le prouverai. Oui, tu sauras que j'en aime une autre avant de partir d'ici. Holà! brave homme! *(Entre un paysan.)* Allez au château; dites à la cuisine qu'on envoie un valet porter à mademoiselle Camille le billet que voici. *(Il écrit.)*

LE PAYSAN. — Oui, monseigneur. *(Il sort.)*

PERDICAN. — Maintenant, à l'autre. Ah! je suis au désespoir! Holà! Rosette, Rosette! *(Il frappe à une porte.)*

ROSETTE, *ouvrant.* — C'est vous, monseigneur! Entrez, ma mère y est.

PERDICAN. — Mets ton plus beau bonnet, Rosette, et viens avec moi.

ROSETTE. — Où donc?

PERDICAN. — Je te le dirai; demande la permission à ta mère, mais dépêche-toi.

ROSETTE. — Oui, monseigneur. *(Elle entre dans la maison.)*

PERDICAN. — J'ai demandé un nouveau rendez-vous à Camille, et je suis sûr qu'elle y viendra; mais, par le ciel, elle n'y trouvera pas ce qu'elle compte y trouver. Je veux faire la cour à Rosette devant Camille elle-même.

Scène III. — *Entrent* CAMILLE *et* LE PAYSAN.

Le petit bois.

LE PAYSAN. — Mademoiselle, je vais au château porter une lettre pour vous; faut-il que je vous la donne ou que je la remette à la cuisine, comme me l'a dit le seigneur Perdican?

CAMILLE. — Donne-la-moi.

LE PAYSAN. — Si vous aimez mieux que je la porte au château, ce n'est pas la peine de m'attarder?

CAMILLE. — Je te dis de me la donner.

LE PAYSAN. — Ce qui vous plaira. *(Il donne la lettre.)*

CAMILLE. — Tiens, voilà pour ta peine.

LE PAYSAN. — Grand merci; je m'en vais, n'est-ce pas?

CAMILLE. — Si tu veux.

LE PAYSAN. — Je m'en vais, je m'en vais. *(Il sort.)*

CAMILLE, *lisant.* — Perdican me demande de lui dire adieu, avant de partir, près de la petite fontaine où je l'ai fait venir hier. Que peut-il avoir à me dire? Voilà justement la fontaine, et je suis toute portée[1]. Dois-je accorder ce second rendez-vous? Ah! *(Elle se cache derrière un arbre.)* Voilà Perdican qui approche avec Rosette, ma sœur de lait. Je suppose qu'il va la quitter; je suis bien aise de ne pas avoir l'air d'arriver la première. *(Entrent Perdican et Rosette qui s'assoient.)*

CAMILLE, *cachée, à part.* — Que veut dire cela? Il la fait asseoir près de lui? Me demande-t-il un rendez-vous pour y venir causer avec une autre? Je suis curieuse de savoir ce qu'il lui dit.

PERDICAN, *à haute voix, de manière que Camille l'entende.* — Je t'aime, Rosette! toi seule au monde tu n'as rien oublié de nos beaux jours passés[2]; toi seule tu te souviens de la vie qui n'est plus; prends ta part de ma vie nouvelle; donne-moi ton cœur, chère enfant; voilà le gage de notre amour. *(Il lui pose sa chaîne sur le cou.)*

ROSETTE. — Vous me donnez votre chaîne d'or?

PERDICAN. — Regarde à présent cette bague. Lève-toi et approchons-nous de cette fontaine. Nous vois-tu tous les deux, dans la source, appuyés l'un sur l'autre? Vois-tu tes beaux yeux près des miens, ta main dans la mienne? Regarde tout cela s'effacer. *(Il jette sa bague dans l'eau.)* Regarde comme notre image a disparu; la voilà qui revient peu à peu; l'eau qui s'était troublée reprend son équilibre; elle tremble encore; de grands cercles noirs courent à sa surface; patience, nous reparaissons; déjà je distingue de nouveau tes bras enlacés dans les miens; encore une minute,

---

1. *Toute portée* : arrivée; 2. Il n'en est pas de même de Camille, qui semble avoir tout oublié. Voir acte Ier scène III : « Quoi! lui dit Perdican, pas un souvenir, Camille? pas un battement de cœur pour notre enfance, pour tout ce pauvre temps passé, si bon, si doux, si plein de niaiseries délicieuses? »

et il n'y aura plus une ride sur ton joli visage; regarde! c'était une bague que m'avait donnée Camille.

CAMILLE, *à part.* — Il a jeté ma bague dans l'eau!

PERDICAN. — Sais-tu ce que c'est que l'amour, Rosette? Écoute! le vent se tait; la pluie du matin roule en perles sur les feuilles séchées que le soleil ranime. Par la lumière du ciel, par le soleil que voilà, je t'aime[1]! Tu veux bien de moi, n'est-ce pas? On n'a pas flétri ta jeunesse; on n'a pas infiltré dans ton sang vermeil les restes d'un sang affadi? Tu ne veux pas te faire religieuse; te voilà jeune et belle dans les bras d'un jeune homme. O Rosette, Rosette! sais-tu ce que c'est que l'amour[2]?

ROSETTE. — Hélas! monsieur le docteur, je vous aimerai comme je pourrai.

PERDICAN. — Oui, comme tu pourras; et tu m'aimeras mieux, tout docteur que je suis et toute paysanne que tu es, que ces pâles statues fabriquées par les nonnes, qui ont la tête à la place du cœur, et qui sortent des cloîtres pour venir répandre dans la vie l'atmosphère humide de leurs cellules[3]; tu ne sais rien; tu ne lirais pas dans un livre la prière que ta mère t'apprend, comme elle l'a apprise de sa mère; tu ne comprends même pas le sens des paroles que tu répètes, quand tu t'agenouilles au pied de ton lit; mais tu comprends bien que tu pries, et c'est tout ce qu'il faut à Dieu[4]!

ROSETTE. — Comme vous me parlez, monseigneur[5]!

PERDICAN. — Tu ne sais pas lire; mais tu sais ce que disent ces bois et ces prairies, ces tièdes rivières, ces beaux champs couverts de moissons, toute cette nature splendide de jeunesse. Tu reconnais tous ces milliers de frères, et moi pour l'un d'entre eux; lève-toi, tu seras ma femme, et nous prendrons racine ensemble dans la sève du monde tout-puissant[6]. *(Il sort avec Rosette.)*

1. Musset reprendra cette protestation dans la *Nuit d'octobre*, mais en la développant et avec plus de solennité; et ce sera pour déclarer qu'il bannit de sa mémoire le « reste d'un amour insensé »; 2. Tout cela est dit pour Camille. C'est à elle aussi que s'adresse en réalité le couplet suivant de Perdican; 3. Dans *Rolla*, Musset parle tout autrement des cloîtres et de la vie monastique :

> Cloître silencieux, voûtes des monastères,
> C'est vous, sombres caveaux, vous qui savez aimer!...

4. Musset fait parler ici Perdican comme un adepte de la religion naturelle, telle que le vicaire savoyard l'expose dans l'*Émile* de Rousseau; 5. L'exaltation de Perdican étonne Rosette, sans qu'elle puisse comprendre ce qui se passe en lui; 6. Dans une lettre à George Sand (1835) Musset s'exprimera en des

Scène IV

Entre LE CHŒUR. — Il se passe assurément quelque chose d'étrange au château; Camille a refusé d'épouser Perdican; elle doit retourner aujourd'hui au couvent dont elle est venue. Mais je crois que le seigneur son cousin s'est consolé avec Rosette. Hélas! la pauvre fille ne sait pas quel danger elle court en écoutant les discours d'un jeune et galant seigneur.

DAME PLUCHE, *entrant.* — Vite, vite, qu'on selle mon âne!

LE CHŒUR. — Passerez-vous comme un songe léger, ô vénérable dame? Allez-vous si promptement enfourcher derechef cette pauvre bête qui est si triste de vous porter?

DAME PLUCHE. — Dieu merci, chère canaille[1], je ne mourrai pas ici.

LE CHŒUR. — Mourez au loin, Pluche, ma mie; mourez inconnue dans un caveau malsain. Nous ferons des vœux pour votre respectable résurrection.

DAME PLUCHE. — Voici ma maîtresse qui s'avance. (*A Camille qui entre.*) Chère Camille, tout est prêt pour notre départ; le baron a rendu ses comptes, et mon âne est bâté.

CAMILLE. — Allez au diable, vous et votre âne, je ne partirai pas aujourd'hui. (*Elle sort.*)

LE CHŒUR. — Que veut dire ceci? Dame Pluche est pâle de terreur; ses faux cheveux tentent de se hérisser, sa poitrine siffle avec force et ses doigts s'allongent en se crispant.

DAME PLUCHE. — Seigneur Jésus! Camille a juré! (*Elle sort.*)

---

termes semblables : « Moi, je me disais : voilà ce que je ferai, je la prendrai avec moi pour aller dans une prairie; je lui montrerai les feuilles qui poussent, les fleurs qui s'aiment, le soleil qui échauffe tout dans l'horizon plein de vie. Je l'assoirai sur du jeune chaume; elle écoutera et elle comprendra bien ce que disent tous ces oiseaux, toutes ces rivières avec les harmonies du monde. Elle reconnaîtra tous ces milliers de frères, et moi pour l'un d'entre eux. Elle nous pressera sur son cœur; elle deviendra blanche comme un lis, et elle prendra racine dans la sève du monde tout-puissant. »

1. La *canaille* est une vile populace, une populace sans probité et sans honneur. Le terme est appliqué d'une manière injurieuse aux paysans.

Scène V. — *Entrent* LE BARON *et* MAITRE BRIDAINE.

MAÎTRE BRIDAINE. — Seigneur, il faut que je vous parle en particulier. Votre fils fait la cour à une fille du village.

LE BARON. — C'est absurde, mon ami.

MAÎTRE BRIDAINE. — Je l'ai vu distinctement passer dans la bruyère en lui donnant le bras; il se penchait à son oreille et lui promettait de l'épouser.

LE BARON. — Cela est monstrueux.

MAÎTRE BRIDAINE. — Soyez-en convaincu; il lui a fait un présent considérable, que la petite a montré à sa mère.

LE BARON. — O ciel! considérable, Bridaine? En quoi considérable?

MAÎTRE BRIDAINE. — Pour le poids et pour la conséquence. C'est la chaîne d'or qu'il portait à son bonnet.

LE BARON. — Passons dans mon cabinet; je ne sais à quoi m'en tenir. *(Ils sortent.)*

Scène VI. — *Entrent* CAMILLE *et* DAME PLUCHE.

La chambre de Camille.

CAMILLE. — Il a pris ma lettre, dites-vous?

DAME PLUCHE. — Oui, mon enfant; il s'est chargé de la mettre à la poste.

CAMILLE. — Allez au salon, dame Pluche, et faites-moi le plaisir de dire à Perdican que je l'attends ici. *(Dame Pluche sort.)* Il a lu ma lettre, cela est certain; sa scène du bois est une vengeance, comme son amour pour Rosette. Il a voulu me prouver qu'il en aimait une autre que moi, et jouer l'indifférent malgré son dépit. Est-ce qu'il m'aimerait, par hasard? *(Elle lève la tapisserie.)* Es-tu là, Rosette?

ROSETTE, *entrant.* — Oui; puis-je entrer?

CAMILLE. — Écoute-moi, mon enfant; le seigneur Perdican ne te fait-il pas la cour?

ROSETTE. — Hélas! oui.

CAMILLE. — Que penses-tu de ce qu'il t'a dit ce matin?

ROSETTE. — Ce matin? Où donc?

CAMILLE. — Ne fais pas l'hypocrite. — Ce matin à la fontaine, dans le petit bois.

ROSETTE. — Vous m'avez donc vue?

CAMILLE. — Pauvre innocente! Non, je ne t'ai pas vue. Il t'a fait de beaux discours, n'est-ce pas? Gageons qu'il t'a promis de t'épouser.

ROSETTE. — Comment le savez-vous?

CAMILLE. — Qu'importe comment je le sais? Crois-tu à ses promesses, Rosette?

ROSETTE. — Comment n'y croirais-je pas? il me tromperait donc? Pourquoi faire?

CAMILLE. — Perdican ne t'épousera pas, mon enfant.

ROSETTE. — Hélas! je n'en sais rien.

CAMILLE. — Tu l'aimes, pauvre fille; il ne t'épousera pas, et la preuve, je vais te la donner; rentre derrière ce rideau, tu n'auras qu'à prêter l'oreille et à venir quand je t'appellerai. *(Rosette sort.)*

CAMILLE, *seule.* — Moi qui croyais faire un acte de vengeance, ferais-je un acte d'humanité? La pauvre fille a le cœur pris. *(Entre Perdican.)* Bonjour, cousin, asseyez-vous.

PERDICAN. — Quelle toilette, Camille! A qui en voulez-vous?

CAMILLE. — A vous, peut-être; je suis fâchée de n'avoir pu me rendre au rendez-vous que vous m'avez demandé; vous aviez quelque chose à me dire?

PERDICAN, *à part.* — Voilà, sur ma vie, un petit mensonge assez gros pour un agneau sans tache; je l'ai vue derrière un arbre écouter la conversation. *(Haut.)* Je n'ai rien à vous dire qu'un adieu, Camille; je croyais que vous partiez; cependant votre cheval est à l'écurie, et vous n'avez pas l'air d'être en robe de voyage.

CAMILLE. — J'aime la discussion; je ne suis pas bien sûre de ne pas avoir eu envie de me quereller encore avec vous.

PERDICAN. — A quoi sert de se quereller, quand le raccommodement est impossible? Le plaisir des disputes, c'est de faire la paix.

CAMILLE. — Êtes-vous convaincu que je ne veuille pas la faire?

PERDICAN. — Ne raillez pas; je ne suis pas de force à vous répondre.

CAMILLE. — Je voudrais qu'on me fît la cour; je ne sais si c'est que j'ai une robe neuve, mais j'ai envie de m'amuser. Vous m'avez proposé d'aller au village, allons-y, je veux bien; mettons-nous en bateau; j'ai envie d'aller dîner sur l'herbe, ou de faire une promenade dans la forêt. Fera-t-il clair de lune, ce soir? Cela est singulier, vous n'avez pas au doigt la bague que je vous ai donnée?

PERDICAN. — Je l'ai perdue.

CAMILLE. — C'est pour cela que je l'ai trouvée; tenez, Perdican, la voilà.

PERDICAN. — Est-ce possible? Où l'avez-vous trouvée?

CAMILLE. — Vous regardez si mes mains sont mouillées, n'est-ce pas? En vérité, j'ai gâté ma robe de couvent pour retirer ce petit hochet d'enfant de la fontaine. Voilà pourquoi j'en ai mis une autre, et, je vous dis, cela m'a changée; mettez donc cela à votre doigt.

PERDICAN. — Tu[1] as retiré cette bague de l'eau, Camille, au risque de te précipiter? Est-ce un songe? La voilà; c'est toi qui me la mets au doigt! Ah! Camille, pourquoi me le rends-tu, ce triste gage d'un bonheur qui n'est plus? Parle, coquette et imprudente fille, pourquoi pars-tu? pourquoi restes-tu? Pourquoi, d'une heure à l'autre, changes-tu d'apparence et de couleur, comme la pierre de cette bague à chaque rayon du soleil?

CAMILLE. — Connaissez-vous le cœur des femmes, Perdican? Êtes-vous sûr de leur inconstance, et savez-vous si elles changent réellement de pensée en changeant quelquefois de langage? Il y en a qui disent que non. Sans doute, il nous faut souvent jouer un rôle, souvent mentir; vous voyez que je suis franche; mais êtes-vous sûr que tout mente dans une femme, lorsque sa langue ment? Avez-vous bien réfléchi à la nature de cet être faible et violent, à la rigueur avec laquelle on le juge, aux principes qu'on lui impose? Et qui sait si, forcée à tromper par le monde, la tête de ce petit être sans cervelle ne peut pas y prendre plaisir, et mentir quelquefois par passe-temps, par folie, comme elle ment par nécessité?

1. Remarquer le passage du *vous* au *tu*.

PERDICAN. — Je n'entends rien à tout cela, et je ne mens jamais. Je t'aime, Camille, voilà tout ce que je sais.

CAMILLE. — Vous dites que vous m'aimez, et vous ne mentez jamais?

PERDICAN. — Jamais.

CAMILLE. — En voilà une qui dit pourtant que cela vous arrive quelquefois. *(Elle lève la tapisserie; Rosette paraît dans le fond, évanouie sur une chaise.)* Que répondrez-vous à cette enfant, Perdican, lorsqu'elle vous demandera compte de vos paroles? Si vous ne mentez jamais, d'où vient donc qu'elle s'est évanouie en vous entendant me dire que vous m'aimez? Je vous laisse avec elle; tâchez de la faire revenir. *(Elle veut sortir.)*

PERDICAN. — Un instant, Camille, écoutez-moi.

CAMILLE. — Que voulez-vous me dire? c'est à Rosette qu'il faut parler. Je ne vous aime pas, moi; je n'ai pas été chercher par dépit cette malheureuse enfant au fond de sa chaumière, pour en faire un appât, un jouet; je n'ai pas répété imprudemment devant elle des paroles brûlantes adressées à une autre; je n'ai pas feint de jeter au vent pour elle le souvenir d'une amitié chérie; je ne lui ai pas mis ma chaîne au cou; je ne lui ai pas dit que je l'épouserais.

PERDICAN. — Écoutez-moi, écoutez-moi!

CAMILLE. — N'as-tu pas souri tout à l'heure quand je t'ai dit que je n'avais pu aller à la fontaine? Eh bien! oui, j'y étais, et j'ai tout entendu; mais, Dieu m'en est témoin, je ne voudrais pas y avoir parlé comme toi. Que feras-tu de cette fille-là, maintenant, quand elle viendra, avec tes baisers ardents sur les lèvres, te montrer en pleurant la blessure que tu lui as faite? Tu as voulu te venger de moi, n'est-ce pas, et me punir d'une lettre écrite à mon couvent? Tu as voulu me lancer à tout prix quelque trait qui pût m'atteindre, et tu comptais pour rien que ta flèche empoisonnée traversât cette enfant, pourvu qu'elle me frappât derrière elle. Je m'étais vantée de t'avoir inspiré quelque amour, de te laisser quelque regret. Cela t'a blessé dans ton noble orgueil? Eh bien! apprends-le de moi, tu m'aimes, entends-tu; mais tu épouseras cette fille, ou tu n'es qu'un lâche!

PERDICAN. — Oui, je l'épouserai.

CAMILLE. — Et tu feras bien.

PERDICAN. — Très bien, et beaucoup mieux qu'en t'épousant toi-même. Qu'y a-t-il, Camille, qui t'échauffe si fort ? Cette enfant s'est évanouie ; nous la ferons bien revenir, il ne faut pour cela qu'un flacon de vinaigre ; tu as voulu me prouver que j'avais menti une fois dans ma vie ; cela est possible, mais je te trouve hardie de décider à quel instant. Viens, aide-moi à secourir Rosette. *(Ils sortent.)*

SCÈNE VII. — *Entrent* LE BARON *et* CAMILLE.

LE BARON. — Si cela se fait, je deviendrai fou.

CAMILLE. — Employez votre autorité.

LE BARON. — Je deviendrai fou, et je refuserai mon consentement ; voilà qui est certain.

CAMILLE. — Vous devriez lui parler et lui faire entendre raison.

LE BARON. — Cela me jettera dans le désespoir pour tout le carnaval, et je ne paraîtrai pas une fois à la cour. C'est un mariage disproportionné. Jamais on n'a entendu parler d'épouser la sœur de lait de sa cousine ; cela passe toute espèce de bornes.

CAMILLE. — Faites-le appeler, et dites-lui nettement que ce mariage vous déplaît. Croyez-moi, c'est une folie, et il ne résistera pas.

LE BARON. — Je serai vêtu de noir cet hiver, tenez-le pour assuré.

CAMILLE. — Mais parlez-lui, au nom du ciel ! C'est un coup de tête qu'il a fait ; peut-être n'est-il déjà plus temps ; s'il en a parlé, il le fera.

LE BARON. — Je vais m'enfermer pour m'abandonner à ma douleur. Dites-lui, s'il me demande, que je suis enfermé, et que je m'abandonne à ma douleur de le voir épouser une fille sans nom. *(Il sort.)*

CAMILLE. — Ne trouverai-je pas ici un homme de cœur ? En vérité, quand on en cherche, on est effrayé de sa solitude. *(Entre Perdican.)* Eh bien ! cousin, à quand le mariage ?

PERDICAN. — Le plus tôt possible; j'ai déjà parlé au notaire, au curé, et à tous les paysans.

CAMILLE. — Vous comptez donc réellement que vous épouserez Rosette?

PERDICAN. — Assurément.

CAMILLE. — Qu'en dira votre père?

PERDICAN. — Tout ce qu'il voudra; il me plaît d'épouser cette fille; c'est une idée que je vous dois, et je m'y tiens. Faut-il vous répéter les lieux communs les plus rebattus sur sa naissance et sur la mienne? Elle est jeune et jolie, et elle m'aime; c'est plus qu'il n'en faut pour être trois fois heureux. Qu'elle ait de l'esprit ou qu'elle n'en ait pas, j'aurais pu trouver pire. On criera et on raillera; je m'en lave les mains.

CAMILLE. — Il n'y a rien là de risible; vous faites très bien de l'épouser. Mais je suis fâchée pour vous d'une chose: c'est qu'on dira que vous l'avez fait par dépit.

PERDICAN. — Vous êtes fâchée de cela? Oh! que non.

CAMILLE. — Si, j'en suis vraiment fâchée pour vous. Cela fait du tort à un jeune homme, de ne pouvoir résister à un moment de dépit.

PERDICAN. — Soyez-en donc fâchée; quant à moi, cela m'est bien égal.

CAMILLE. — Mais vous n'y pensez pas; c'est une fille de rien.

PERDICAN. — Elle sera donc de quelque chose, lorsqu'elle sera ma femme.

CAMILLE. — Elle vous ennuiera avant que le notaire ait mis son habit neuf et ses souliers pour venir ici; le cœur vous lèvera au repas de noces, et le soir de la fête vous lui ferez couper les mains et les pieds, comme dans les contes arabes, parce qu'elle sentira le ragoût.

PERDICAN. — Vous verrez que non. Vous ne me connaissez pas; quand une femme est douce et sensible, fraîche, bonne et belle, je suis capable de me contenter de cela, oui, en vérité, jusqu'à ne pas me soucier de savoir si elle parle latin.

CAMILLE. — Il est à regretter qu'on ait dépensé tant d'argent pour vous l'apprendre; c'est trois mille écus de perdus.

PERDICAN. — Oui; on aurait mieux fait de les donner aux pauvres.

CAMILLE. — Ce sera vous qui vous en chargerez, du moins pour les pauvres d'esprit.

PERDICAN. — Et ils me donneront en échange le royaume des cieux, car il est à eux.

CAMILLE. — Combien de temps durera cette plaisanterie?

PERDICAN. — Quelle plaisanterie?

CAMILLE. — Votre mariage avec Rosette.

PERDICAN. — Bien peu de temps; Dieu n'a pas fait de l'homme une œuvre de durée : trente ou quarante ans, tout au plus.

CAMILLE. — Je suis curieuse de danser à vos noces!

PERDICAN. — Écoutez-moi, Camille, voilà un ton de persiflage qui est hors de propos.

CAMILLE. — Il me plaît trop pour que je le quitte.

PERDICAN. — Je vous quitte donc vous-même; car j'en ai tout à l'heure[1] assez.

CAMILLE. — Allez-vous chez votre épousée?

PERDICAN. — Oui, j'y vais de ce pas.

CAMILLE. — Donnez-moi donc le bras; j'y vais aussi. (*Entre Rosette.*)

PERDICAN. — Te voilà, mon enfant! Viens, je veux te présenter à mon père.

ROSETTE, *se mettant à genoux.* — Monseigneur, je viens vous demander une grâce. Tous les gens du village à qui j'ai parlé ce matin m'ont dit que vous aimiez votre cousine, et que vous ne m'avez fait la cour que pour vous divertir tous deux; on se moque de moi quand je passe, et je ne pourrai plus trouver de mari dans le pays, après avoir servi de risée à tout le monde. Permettez-moi de vous rendre le collier que vous m'avez donné, et de vivre en paix chez ma mère.

CAMILLE. — Tu es une bonne fille, Rosette; garde ce collier, c'est moi qui te le donne, et mon cousin prendra le

---

1. *Tout à l'heure :* maintenant, sens classique.

mien à la place. Quant à un mari, n'en soit pas embarrassée, je me charge de t'en trouver un.

PERDICAN. — Cela n'est pas difficile, en effet. Allons, Rosette, viens, que je te mène à mon père.

CAMILLE. — Pourquoi? Cela est inutile.

PERDICAN. — Oui, vous avez raison, mon père nous recevrait mal; il faut laisser passer le premier moment de surprise qu'il a éprouvé. Viens avec moi, nous retournerons sur la place. Je trouve plaisant qu'on dise que je ne t'aime pas quand je t'épouse. Pardieu! nous les ferons bien taire. *(Il sort avec Rosette.)*

CAMILLE. — Que se passe-t-il donc en moi? Il l'emmène d'un air bien tranquille. Cela est singulier : il me semble que la tête me tourne. Est-ce qu'il l'épouserait tout de bon? Holà! dame Pluche, dame Pluche! N'y a-t-il donc personne ici? *(Entre un valet.)* Courez après le seigneur Perdican; dites-lui vite qu'il remonte ici, j'ai à lui parler. *(Le valet sort.)* Mais qu'est-ce donc que tout cela? Je n'en puis plus, mes pieds refusent de me soutenir. *(Rentre Perdican.)*

PERDICAN. — Vous m'avez demandé, Camille?

CAMILLE. — Non, — non.

PERDICAN. — En vérité, vous voilà pâle! qu'avez-vous à me dire? Vous m'avez fait rappeler pour me parler?

CAMILLE. — Non, non! — O Seigneur Dieu! *(Elle sort.)*

SCÈNE VIII

Un oratoire.

Entre CAMILLE. *Elle se jette au pied de l'autel.* — M'avez-vous abandonnée, ô mon Dieu? Vous le savez, lorsque je suis venue, j'avais juré de vous être fidèle; quand j'ai refusé de devenir l'épouse d'un autre que vous, j'ai cru parler sincèrement devant vous et ma conscience; vous le savez, mon Père; ne voulez-vous donc plus de moi? Oh! pourquoi faites-vous mentir la vérité elle-même? Pourquoi suis-je si faible? Ah! malheureuse, je ne puis plus prier. *(Entre Perdican.)*

PERDICAN. — Orgueil, le plus fatal des conseillers humains, qu'es-tu venu faire entre cette fille et moi? La voilà pâle et effrayée, qui presse sur les dalles insensibles son cœur et

Phot. Larousse.

CAMILLE ET PERDICAN
Acte III, scène VIII.

son visage. Elle aurait pu m'aimer, et nous étions nés l'un pour l'autre; qu'es-tu venu faire sur nos lèvres, orgueil, lorsque nos mains allaient se joindre?

CAMILLE. — Qui m'a suivie? Qui parle sous cette voûte? Est-ce toi, Perdican?

PERDICAN. — Insensés que nous sommes! nous nous aimons. Quel songe avons-nous fait, Camille? Quelles vaines paroles, quelles misérables folies ont passé comme un vent funeste entre nous deux? Lequel de nous a voulu tromper l'autre? Hélas! cette vie est elle-même un si pénible rêve! pourquoi encore y mêler les nôtres? O mon Dieu! le bonheur est une perle si rare dans cet océan d'ici-bas! Tu nous l'avais donné, pêcheur céleste, tu l'avais tiré pour nous des profondeurs de l'abîme, cet inestimable joyau; et nous, comme des enfants gâtés que nous sommes, nous en avons fait un jouet. Le vert sentier qui nous amenait l'un vers l'autre avait une pente si douce, il était entouré de buissons si fleuris, il se perdait dans un si tranquille horizon! Il a bien fallu que la vanité, le bavardage et la colère vinssent jeter leurs rochers informes sur cette route céleste, qui nous aurait conduits à toi dans un baiser! Il a bien fallu que nous nous fissions du mal, car nous sommes des hommes! O insensés! nous nous aimons. *(Il la prend dans ses bras.)*

CAMILLE. — Oui, nous nous aimons, Perdican; laisse-moi le sentir sur ton cœur. Ce Dieu qui nous regarde ne s'en offensera pas; il veut bien que je t'aime; il y a quinze ans qu'il le sait.

PERDICAN. — Chère créature, tu es à moi! *(Il l'embrasse; on entend un grand cri derrière l'autel.)*

CAMILLE. — C'est la voix de ma sœur de lait.

PERDICAN. — Comment est-elle ici? Je l'avais laissée dans l'escalier, lorsque tu m'as fait rappeler. Il faut donc qu'elle m'ait suivi sans que je m'en sois aperçu.

CAMILLE. — Entrons dans cette galerie, c'est là qu'on a crié.

PERDICAN. — Je ne sais ce que j'éprouve; il me semble que mes mains sont couvertes de sang[1].

---

1. Pressentiment **très romantique** de la mort de Rosette.

CAMILLE. — La pauvre enfant nous a sans doute épiés; elle s'est encore évanouie; viens, portons-lui secours; hélas! tout cela est cruel

PERDICAN. — Non, en vérité, je n'entrerai pas; je sens un froid mortel qui me paralyse. Vas-y, Camille, et tâche de la ramener. *(Camille sort.)* Je vous en supplie, mon Dieu! ne faites pas de moi un meurtrier! Vous voyez ce qui se passe; nous sommes deux enfants insensés, et nous avons joué avec la vie et la mort; mais notre cœur est pur; ne tuez pas Rosette, Dieu juste! Je lui trouverai un mari, je réparerai ma faute; elle est jeune, elle sera riche, elle sera heureuse; ne faites pas cela, ô Dieu! vous pouvez bénir encore quatre de vos enfants. Eh bien! Camille, qu'y a-t-il? *(Camille rentre.)*

CAMILLE. — Elle est morte! Adieu, Perdican!

JUGEMENTS
SUR « ON NE BADINE PAS AVEC L'AMOUR »

XIXᵉ SIÈCLE

Messieurs les comédiens de la rue de Richelieu ont repris avec éclat une des plus célèbres pièces d'Alfred de Musset : *On ne badine pas avec l'amour*, pièce incomplète, inégale à elle-même, faite d'ombre et de lumière, mais qui n'en a pas moins une réelle action sur le public; pièce amoureuse et folle, spirituelle et fantasque, originale et charmante, poignante et sentimentale, qui vous met tour à tour un sourire aux lèvres et une larme dans l'œil; pièce spontanée, s'il en fut jamais, éminemment personnelle, sincère dans sa passion, naïve dans sa tendresse, paradoxale dans son esprit, mais qui ne se tient peut-être pas suffisamment dans toutes ses parties, dont le comique descend parfois jusqu'à la charge, et qui vous laisse une impression finale pleine de tristesse, et voisine du mécontentement.

Louis Enault,
Revue de France (30 juin 1875)

Quelle joie de voir enfin un drame ingénu se mouvant sans détente brusque de ressort ni bruit agaçant d'engrenages, et animé de cette force mystérieuse qui rend certaines œuvres d'art aussi naturellement, aussi harmonieusement belles qu'une belle créature humaine!

Tel apparaît *On ne badine pas avec l'amour*, poignante analyse de deux âmes, duel sublime entre un froid idéal d'orgueil et les joies fécondes et généreuses de la vie, poème délicieusement désordonné, humain et terrestre profondément, où le vin, les fleurs, la candeur, la jeunesse — accessoires trop négligés peut-être aujourd'hui — ont leur rôle, et qui, débutant par un chœur alterné à la façon des anciens drames satyriques, déroule jusqu'au tragique dénouement comme un autre *Dépit amoureux* plus moderne et plus raffiné que joueraient des personnages de Marivaux sous les ombrages shakespeariens de *Comme il vous plaira*

Paul Arène,
la République française (25 novembre 1881).

Il y a chez Camille, lorsqu'elle revient chez son respectable imbécile de tuteur, deux femmes très distinctes, quoique constamment confondues : l'une est celle que la nature a créée, l'autre est celle qu'a fabriquée l'éducation. Je comparerais volontiers Camille à un palimpseste. Des deux écritures dont le papyrus est chargé, c'est la seconde que l'on voit davantage; mais parfois, à de certains endroits, qui par bonheur sont les plus intéressants, voilà que la première reparaît, efface presque la seconde, et c'est un trouble subit pour le lecteur qui hésite entre les deux textes.

C'est ainsi que s'expliquent les bizarreries et les incohérences de Camille, ses revirements imprévus, ses airs de badinage succédant sans transition d'aucune sorte à des violences de passion ou à des scènes de mépris hautain. Elle repousse son cousin, elle le rappelle ; elle fond en larmes, elle entre en fureur et jure. De là aussi ces questions si hardies et si étranges sur l'amour et sur le nombre de maîtresses que peut avoir un homme. C'est tantôt sa nature qui prend le dessus, et tantôt son éducation.

Francisque Sarcey,
le Temps (28 novembre 1881).

Voyez les personnages et la fable de la comédie de Musset : nous sommes dans un vague et chimérique XVIIIe siècle. De quel couvent sort Camille ? de quelle université arrive Perdican ? de quelle province le baron est-il gouverneur ? Les paysans y parlent comme des poètes subtils, et les ivrognes y récitent de brillants couplets alternés comme dans une églogue savante. Tout ce qui est vie extérieure est embelli ou simplifié. Le jeune seigneur Perdican se décide, en un instant, à épouser une bergère : ce sont les mœurs de ce pays de rêve. Et la bergère meurt d'amour, tout à coup, en poussant un cri. Dame Pluche, Bridaine et Blazius ne sont que des fantoches aux gestes excessifs, et dont le poète tire ouvertement les ficelles afin de se divertir. Pour le décor, les habits et la conduite de l'action, la fantaisie du poète s'est donné libre carrière. Il n'a voulu que se délecter d'une vision choisie.

Mais le mensonge (combien charmant !) est ici dans la forme, et la vérité (combien poignante !) est au fond.

[...] Le drame qui se joue entre ces personnages, ce n'est point une comédie d'un jour, une aventure ingénieusement combinée, c'est un drame éternel, où l'on sent un mystère, une fatalité et l'action des lois mêmes de la vie. Perdican est vrai, car Perdican c'est vous, c'est moi ; c'est un homme qui fait le mal sans être méchant, qui souffre, qui aime, qui ne comprend rien au monde, qui doute de la bonté de la vie, et qui persiste à vivre pour aimer. Camille aussi est profondément vraie. Pourquoi a-t-on dit que son caractère était obscur et déconcertant ? Point ! elle a connu trop tôt, ou a cru connaître, la vanité des choses. Elle a, avec une dévotion de fille ardente — dévotion qui ne durera point — un scepticisme et un désenchantement acquis, très déclamatoires, très farouches, et qui ne sauraient durer non plus. Et, en effet, dès qu'elle sort de l'ombre du cloître pour entrer dans le monde réel, elle redevient une femme, et tout ce qu'elle a appris est oublié. Elle qui ne croyait pas à l'amour, dès qu'elle se voit dédaignée elle aime, elle souffre, et la jalousie lui vient, et le dépit, et la coquetterie, et l'égoïsme féroce de la passion. Et nous nous reconnaissons en elle. L'expérience qu'elle a puisée dans la conversation des pâles religieuses est pour Camille ce qu'est pour nous l'inutile et orgueilleuse expé-

rience des livres. Nous savons que tout est vain ; comme elle, nous
nions l'amour ; nous nous croyons très forts et bien gardés par notre
cuirasse de philosophie livresque et de littérature ; et, à la première
épreuve, nous faisons comme elle, nous oublions tout, nous ne
sommes plus que de misérables hommes, et nous tombons dans
l'éternel piège que la nature tend aux êtres vivants. Et quant à la
petite Rosette, la bergère en fleur, c'est la douceur et l'innocence
avec très peu de conscience et de réflexion — et cela aussi est vrai.

Jules Lemaitre,
Introduction au théâtre d'Alfred de Musset (1889).

On ne badine pas avec l'amour est le chef-d'œuvre de Musset au
théâtre, la pièce la plus originale et la plus complète qu'il ait écrite
par le mélange de la vérité et de la fantaisie. La verve du poète s'est
égayée à créer les figures grotesques de dame Pluche, la respectable haridelle qui sert de gouvernante à Camille, de dom Blazius
et du curé Bridaine, ces deux sacs à vin. Et le chœur formé des
paysans qui ont vu grandir Perdican, qui l'ont fait danser sur leurs
genoux, qui ont vieilli depuis ce temps-là, mais qui se souviennent,
et que, lui non plus, Perdican n'a pas oubliés, ce chœur symbolique
personnifie les souvenirs d'enfance, ces lieux mystérieux et si doux
qui nous rattachent au sol natal. C'est dans cette pièce que se trouve
le fameux couplet sur l'Amour qui transfigure l'humanité. Cela
est au centre du théâtre et de toute l'œuvre de Musset. C'est toute
sa philosophie de la vie. On souffre par l'amour. Mais il faut avoir
aimé. Il en reste la fierté d'avoir rempli sa destinée. Et il en reste
le souvenir élargi et épuré.

René Doumic,
dans l'*Histoire de la littérature française*,
publiée sous la direction de Petit de Julleville, t. VII (1899).

XXe SIÈCLE

Camille, la plus complexe des héroïnes de Musset, celle qui
s'explique le plus longuement, est pourtant celle qui reste la
plus mystérieuse. Jeune fille ? femme ? elle a, de l'une, l'ardeur
inconsciente, l'intransigeance des principes et la réserve de la
conduite ; de l'autre, le langage plus appuyé, la clairvoyance, la
connaissance des vilenies, ce sentiment, né en général de l'expérience, que l'amour est moins une union qu'un combat ; elle est
armée pour cette lutte, forte de son orgueil, de sa coquetterie,
de son égoïsme

Pierre Gastinel,
le Romantisme d'Alfred de Musset (1933).

La galerie des types féminins, chez Musset, est d'une richesse
qui passe celle de Marivaux et ne le cède qu'à celle de Racine.
C'est Rosette, la paysanne simple comme la fleur des champs ; c'est

l'inquiète, rusée, et coquette Marianne; c'est la délicate Elsbeth de *Fantasio*, qui vit dans son rêve; c'est cette effrontée de Jacqueline, qui en fait porter à son mari sans plus de remords qu'une jolie bête; c'est la méthodique et fidèle Barberine; c'est, enfin, cette inquiétante et tragique Camille, à propos de laquelle M. Robert de Smet, qu'on cite souvent parce qu'il a dit là-dessus beaucoup d'excellent, écrit avec une pénétrante justesse : « Si l'on a pu dire que ce qu'il y a de plus caractéristique dans le théâtre actuel dramatise l'éternel duel des sexes, Camille et Perdican, ces deux enfants insensés qui jouent avec l'amour et la mort, sont vraiment prophétiques; et Camille est la seule des héroïnes romantiques offrant à l'amant un adversaire digne de lui et muni d'armes égales. »

Lucien Dubech,
Histoire générale illustrée du théâtre.
tome V, chapitre IV (1934).

Les personnages de Musset ne sont pas tendres, ils jouent avec les êtres comme le chat avec la souris. La pauvre petite Rosette de *On ne badine pas avec l'amour* est victime de ces jongleries. Tant pis pour la souris, victime de ces caprices meurtriers. Par moments, on a le sentiment que Musset lui-même n'était pas exempt de toute méchanceté. [...] Car, ne nous y trompons pas : Lorenzaccio, Fantasio, Fortunio, Andréa del Sarto, Octave, Coelio, Perdican, Razetta, tous ces personnages charmants, légers, spirituels, indécis, énergiques, faibles et brutaux sont Alfred de Musset lui-même et Alfred de Musset seul. [...]

Les palais, les châteaux, les notariats de province eux-mêmes, donnent sur des jardins profonds et délicieux, où la rose se défend contre les ténèbres, où le laurier s'unit à l'if et ces jardins sont traversés par des jeunes filles charmantes, ornement et grâce du théâtre de Musset, qui sont les sœurs délicates et passionnées des héroïnes de Racine et de Shakespeare, une sorte de préfiguration des Bella, des Isabelle, des Ondine de Giraudoux. [...] Les secrets des héroïnes de Musset sont entre les pages de son théâtre, il faut les y surprendre sans les alourdir par des commentaires pesants. Ces adolescents sont peut-être les portraits les plus complexes et les plus vrais de jeunes filles que nous ait offerts la littérature française, avant la période contemporaine. [...] Il est bien évident qu'au cours du romantisme Camille, la princesse Elsbeth, Rosette, Cécile et tant d'autres, sont les seules figures de ce genre; elles trouvent place entre celles de Balzac qui sont vraiment un peu sottes et celles de Stendhal qui sont plus masculines que féminines et en somme aussi androgynes que les travestis de Calderon, de Lope de Vega et de Shakespeare.

Edmond Jaloux,
D'Eschyle à Giraudoux,
Chapitre : « Le Théâtre d'Alfred de Musset » (1946).

QUESTIONS
SUR « ON NE BADINE PAS AVEC L'AMOUR »

PREMIER ACTE

SCÈNE PREMIÈRE. — Étudier la composition de la scène. En montrer la symétrie.

— Comment les personnages de Blazius et de dame Pluche sont-ils peints ?

— Pourquoi Blazius est-il plus sympathique que dame Pluche ?

— Comment Musset fait-il parler le chœur dans sa réponse à Blazius : « Buvez, maître Blazius... » ? Quels sentiments lui prête-t-il ?

SCÈNE II. — Le personnage du baron. En quoi est-il ridicule ?

— Comment Bridaine est-il représenté ?

— L'arrivée de Perdican et de Camille. Comment se manifeste leur désaccord. Quelles indications cette scène fournit-elle sur le caractère de Camille ?

SCÈNE III. — Étudier le parallèle de Bridaine et de Blazius.

— Comment le chœur se les représente-t-il à la table du baron ? Quel est le caractère de cette partie de la scène ? N'y trouve-t-on pas une certaine sorte de poésie ?

— L'entretien de Perdican et de Camille. Sur quel point porte leur désaccord ?

— Le caractère de dame Pluche. Comment apparaît-il dans la fin de cette scène ?

— Montrer dans cette scène la succession et la variété des tons.

SCÈNE IV. — La conversation de Perdican et des paysans. Comment le caractère de Perdican s'y dessine-t-il ? Quels sentiments Musset lui a-t-il prêtés ?

— Comment fait-il parler le chœur ?

— Montrer ce qu'il y a de naturel et de vrai dans cette scène, d'émouvant aussi, et comment elle contraste avec la scène précédente.

SCÈNE V. — Étudier le comique de la scène.

— Quel intérêt présente-t-elle pour ce qui est de l'action ? Quelle est la situation à la fin du premier acte ?

———————

DEUXIÈME ACTE

SCÈNE PREMIÈRE. — Jusqu'à quel point le désaccord entre Camille et Perdican intéresse-t-il Blazius ?

— Étudier le progrès de l'action dans cette scène, en la comparant aux précédents entretiens de Camille et de Perdican. Qu'est-ce que Camille annonce à Perdican ? Qu'est-ce qu'elle lui tait encore ?

Scène II. — Le monologue de Bridaine. Quel en est le thème ? Quel en est le ton ? Quelle sorte de poésie y peut-on trouver ?

Scène III. — Rapprocher cette scène de la dernière partie de la scène IV de l'acte Ier. Étudier le développement des sentiments de Perdican pour Rosette. Analyser ce sentiment.

— Essayer de définir le caractère de Rosette, particulièrement d'après la réplique : « Des mots sont des mots... »

Scène IV. — Quel est l'intérêt des révélations de Blazius au baron, et quel en est l'effet sur ce dernier ?

Scène V. — Quel changement constatez-vous dans l'attitude de Camille ? L'explication de ce changement n'est-elle pas au moins suggérée par les paroles que Perdican prononce, alors qu'il est encore seul ?

— Ce que Camille n'avait pas encore appris à Perdican, comment le lui apprend-elle ?

— Comment interroge-t-elle Perdican, et comment celui-ci répond-il à ses questions ?

— Comment Camille rapporte-t-elle à Perdican les confidences qu'une amie lui a faites au couvent ? Quel a été sur elle l'effet de ces confidences ? N'y trouve-t-on pas la principale explication de sa conduite actuelle ?

— Qu'est-ce que Perdican reproche surtout à Camille ?

— Étudier la partie de la scène qui va des mots : « Tu as dix-huit ans... » à la fin. N'y pourrait-on pas relever quelques fautes de goût, et, par endroits, de la déclamation ?

— Qu'est-ce qui rend émouvante et belle cette partie du dialogue ?

— Étudier le couplet final de Perdican. Comment est-il conduit ? Quel en est le mouvement ? Quelle idée, chère à Musset, exprime-t-il ?

TROISIÈME ACTE

Scène première. — Quel intérêt présente le monologue de Perdican ?

Scène II. — Quelle forme Musset donne-t-il à la scène dans la première partie ?

— Comment Bridaine prend-il sa revanche sur Blazius ?

— Quel est le fait intéressant dans la suite de la scène ?

— Quel est sur Perdican l'effet de la lettre de Camille à son amie ? Quelle résolution cette lettre lui inspire-t-elle ?

Scène III. — Montrer comment les paroles que Perdican adresse à Rosette sont dites pour Camille.

— Quel est le sens du couplet : « Regarde comme notre image a disparu ?... »

— Quelle impression les paroles de Perdican produisent-elles sur Rosette ?

Scène IV. — Comment le chœur, en quelques mots, rend-il compte de la situation ?

— La résolution de Camille. Pourquoi ne part-elle plus ? Sa colère n'est-elle pas significative ?

Scène VI. — Quel changement s'est produit dans Camille ? Montrer comment il se manifeste par ses paroles et par ses actes.

— Comment explique-t-elle et tente-t-elle de justifier les changements que Perdican lui reproche ?

— Comment le dépit et la jalousie de Camille se révèlent-ils ?

Scène VII. — Étudier les progrès de la jalousie chez Camille, sensibles sous le ton de persiflage et d'ironie qu'elle prend dans la plus grande partie de la scène.

— Dans quel état se trouve-t-elle, après la sortie de Rosette et de Perdican ?

Scène VIII. — Montrer comment s'expriment les sentiments de Camille et de Perdican dans leurs monologues.

— Étudier le lyrisme dans le couplet : « Insensés que nous sommes !... »

— Comment la réponse de Camille était-elle préparée, pressentie ?

— Montrer ce qu'il y a d'émouvant dans l'attente de Perdican pendant que Camille est absente.

— Musset pouvait-il donner à la pièce un autre dénouement ?

SUJETS DE DEVOIRS

— Comment l'action est-elle conduite dans *On ne badine pas avec l'amour* ?

— Peut-on dire d'*On ne badine pas avec l'amour* que c'est un *Dépit amoureux* qui finit mal ?

— L'auteur d'*On ne badine pas avec l'amour* peut-il être rapproché de Racine et de Marivaux ?

— Le sous-titre *Proverbe* convient-il à *On ne badine pas avec l'amour* ?

— Ce qu'il y a de classique, ce qu'il y a de romantique dans *On ne badine pas avec l'amour*.

— Expliquer et apprécier, en prenant pour exemple *On ne badine pas avec l'amour*, cette phrase de Jules Lemaitre : « Vérité intérieure et caprice extérieur, cela veut dire poésie, et cela est tout le théâtre de Musset. »

— Les personnages burlesques dans *On ne badine pas avec l'amour*.

— Commentez ces réflexions du critique Edmond Jaloux, en les appliquant plus particulièrement à *On ne badine pas avec l'amour* :

« Jouer avec la vie! tel est le vœu suprême de Lorenzaccio et de Fantasio, de Marianne et de Camille, de Perdican et de Valentin. Tous, ils lui demandent quelque chose qu'elle ne saurait leur donner; ce n'est pas que l'amour, le bonheur, l'énergie n'existent pas. Mais le propre de ces héros, c'est justement de les chercher dans des inconstances qui, elles, ne se présentent jamais ou qui, du moins, ne se présentent pas tout à fait dans des conditions souhaitables. La tristesse de Musset et sa désillusion n'ont pas eu d'autre cause. [...] C'est en cela qu'Alfred de Musset, pour tant de générations, a incarné et représenté la jeunesse. Le propre de la jeunesse n'est pas d'avoir des illusions, c'est de demander à la vie des circonstances extraordinaires. [...] La jeunesse aime à jouer avec la vie plutôt qu'à vivre, elle a le sentiment qu'il ne faut pas s'engager à fond, épuiser toutes les possibilités de l'existence. Ou si elle s'engage à fond, elle ne veut le faire que si elle s'y sent autorisée par de merveilleux privilèges. Aussi son théâtre est-il vraiment celui d'A. de Musset. »

— Que pensez-vous de ce jugement d'un critique contemporain sur *On ne badine pas avec l'amour* : « C'est dans cette œuvre que Musset a le mieux uni les deux tendances de son caractère qui était d'être un homme d'esprit du XVIIIe siècle et un romantique de 1830. »

— Camille de Musset, Isabelle de Giraudoux (*Intermezzo*) sont deux jeunes filles du théâtre français qui, au sortir de l'adolescence, sont tentées de dire non à la vie et à l'amour humain et de préférer l'absolu, le spectre, le couvent ou la mort. En quoi sont-elles sœurs, en quoi diffèrent-elles ?

TABLE DES MATIÈRES

———

Pages

ALFRED DE MUSSET ET SON TEMPS....................... 4

RÉSUMÉ CHRONOLOGIQUE DE LA VIE D'ALFRED DE MUSSET... 6

NOTICE SUR « ON NE BADINE PAS AVEC L'AMOUR »......... 7

BIBLIOGRAPHIE SOMMAIRE 15

PREMIER ACTE 17

DEUXIÈME ACTE 33

TROISIÈME ACTE 49

JUGEMENTS SUR « ON NE BADINE PAS AVEC L'AMOUR »...... 69

QUESTIONS SUR « ON NE BADINE PAS AVEC L'AMOUR » 73

SUJETS DE DEVOIRS................................. 76

Imprimerie Larousse,
1 à 9, rue d'Arcueil, Montrouge (Seine).
Février 1937. — Dépôt légal 1937-3e. — No 2554.
No de série Editeur 2520.
IMPRIMÉ EN FRANCE (*Printed in France*).
35915 H-1-64.

les dictionnaires Larousse

sont constamment tenus à jour :

en un volume

PETIT LAROUSSE

Une netteté incomparable (imprimé en offset). Les mots les plus récents; toutes les définitions renouvelées. Des renseignements encyclopédiques rigoureusement à jour aussi bien dans la partie « vocabulaire » que dans la partie « noms propres ».
1 808 pages 14,5 × 21 cm, 5 130 ill. et 114 cartes en noir, 48 h.-t. en couleurs, atlas de 24 pages.

Existe également en édition de luxe, papier bible, reliure pleine peau.

LAROUSSE CLASSIQUE

Le dictionnaire du baccalauréat, de la 6e à l'examen : sens moderne et classique des mots, tableaux de révision, cartes historiques, etc.
1 290 pages (14 × 20 cm), 53 tableaux historiques, 153 planches en noir, 48 h.-t. et 64 cartes en noir et en couleurs.

en deux volumes (21 × 30 cm)

LAROUSSE UNIVERSEL

Plus de 2 000 pages. Le dictionnaire du « juste milieu ». 138 423 articles, des milliers de gravures, de planches en noir et en couleurs, 535 reproductions des chefs-d'œuvre de l'Art.

en six volumes (25 × 32 cm)

LAROUSSE DU XXe SIÈCLE

Le grand dictionnaire encyclopédique, équivalent d'une bibliothèque de 400 volumes. 6 740 pages, 238 500 articles, 46 950 gravures ou cartes et 460 hors-texte en noir et en couleurs.

en dix volumes (21 × 27 cm)

GRAND LAROUSSE ENCYCLOPÉDIQUE

Dans l'ordre alphabétique, toute la langue française, toutes les connaissances humaines. 10 000 pages, 450 000 acceptions, 22 000 illustrations, 400 hors-texte en couleurs; **en souscription.**

*l'essentiel des connaissances de notre temps
présenté dans l'ordre méthodique*

MÉMENTO LAROUSSE

encyclopédique et illustré

le complément des dictionnaires en un volume

nouveau format ; nouvelle édition. Un volume de 992 pages
(14,5 × 21 cm), illustré d'un très grand nombre de cartes, cartons,
gravures, planches, tableaux, etc., dont 25 en couleurs. Relié.
Aperçu des matières : Droit usuel — Grammaire — Littérature —
Histoire — Géographie — Mathématiques — Physique — Chimie —
Sciences naturelles — Savoir-vivre — Correspondance, etc.

ENCYCLOPÉDIE LAROUSSE MÉTHODIQUE

le complément des grands dictionnaires

Deux forts volumes (21 × 30 cm), renfermant un ensemble de
grands traités sur toutes les branches du savoir humain. Un
ouvrage utile aux étudiants comme à toute personne soucieuse
d'entretenir sa culture.
2 386 pages, 6 500 gravures et cartes dans le texte, 55 planches et
cartes hors texte en couleurs et en noir. Reliés sous jaquette illustrée.

ENCYCLOPÉDIE LAROUSSE POUR LA JEUNESSE

Cette encyclopédie d'une formule entièrement nouvelle constitue
pour les adolescents un fonds de bibliothèque leur offrant, sous
une forme attrayante, la masse des connaissances acquises au
cours de leurs années scolaires, de la 6e à la 3e (5 vol. en tout),
enrichies d'anecdotes, de contes et de récits historiques.
Chaque volume, relié (16,5 × 23 cm), sous jaquette en couleurs,
480 pages, 1500 illustrations en couleurs et en noir.

dans la collection
in-quarto Larousse

LITTÉRATURE FRANÇAISE

en **DEUX VOLUMES** (21 x 30 cm), publiée sous la direction de J. Bédier et P. Hazard, de l'Académie française. Edition refondue et augmentée par P. Martino.

Cette édition de la célèbre histoire de la Littérature française de Bédier et Hazard se présente avec toutes les garanties de la recherche scientifique la plus consciencieuse et la plus actuelle. Elle accorde au mouvement littéraire contemporain la place qui doit lui revenir.

Ces deux volumes forment de plus, par leurs centaines d'illustrations en noir et en couleurs, une grande et magnifique « littérature française en images ».

1010 pages, 1107 illustrations, 12 planches en couleurs. index alphabétique de 4 000 noms.

dans la même collection :

HISTOIRE DE FRANCE (2 vol.) — LA FRANCE, géographie, tourisme (2 vol.) — L'ART ET L'HOMME (3 vol.) — ASTRONOMIE, les astres, l'univers — LA TERRE, notre planète — LA MONTAGNE — LA MER — LA VIE DES PLANTES — LA VIE DES ANIMAUX (2 vol.) — GÉOGRAPHIE UNIVERSELLE LAROUSSE (3 vol.) — HISTOIRE UNIVERSELLE (2 vol.) — LA VIE — MYTHOLOGIES (2 vol.).

Dictionnaires pour l'étude du langage

une collection d'ouvrages (13,5 × 20 cm) indispensables pour une connaissance approfondie de la langue française et une sûre appréciation de sa littérature :

DICTIONNAIRE DES LOCUTIONS FRANÇAISES
par Maurice Rat. 462 pages; édition augmentée.

DICTIONNAIRE DES DIFFICULTÉS DE LA LANGUE FRANÇAISE
couronné par l'Académie française. Par Adolphe V. Thomas. 448 pages.

DICTIONNAIRE DES SYNONYMES
couronné par l'Académie française. Par R. Bailly. 640 pages.

DICTIONNAIRE ANALOGIQUE
par Ch. Maquet. Les mots par les idées, les idées par les mots. 600 pages.

DICTIONNAIRE ÉTYMOLOGIQUE
par A. Dauzat, édition revue et augmentée. 864 pages.

DICTIONNAIRE D'ANCIEN FRANÇAIS
par R. Grandsaignes d'Hauterive. 604 pages.

DICTIONNAIRE DES RACINES
des langues européennes. Par R. Grandsaignes d'Hauterive. 364 pages.

DICTIONNAIRE DES NOMS DE FAMILLE
et Prénoms de France. Par A. Dauzat. 652 pages.

DICTIONNAIRE DES NOMS DE LIEUX
de France. Par A. Dauzat et Ch. Rostaing. 720 pages. *Nouveauté.*

DICTIONNAIRE DES PROVERBES
sentences et maximes. Par M. Maloux. 648 pages.

DICTIONNAIRE DES RIMES FRANÇAISES
méthodique et pratique. Par Ph. Martinon. 296 pages. *Nouveauté.*

ouvrages scolaires
pour l'enseignement du français

LE FRANÇAIS EN CYCLE D'OBSERVATION

par P. Durand, i. d. e. p., et L. Roullois, i. d. e. p.

classe de sixième, lectures expliquées — poésies — lectures suivies et dirigées.

classe de cinquième, par les mêmes auteurs
avec un choix nouveau de textes, d'exercices de vocabulaire — *la vie des mots* — et de travaux dirigés.

LE FRANÇAIS EN CYCLE D'ORIENTATION
nouveauté

par P. Durand, J. Guislin, professeur agrégé, et L. Roullois

classe de quatrième, conçu sur les mêmes bases que les deux volumes précédents et selon les nouveaux programmes.

ces trois ouvrages sous couverture pelliculée en couleurs (15 × 21 cm), très illustrés en noir et en couleurs.

pour paraître en 1964 :
LE FRANÇAIS en troisième

(Durand, Baudoin, Lafitte-Houssat), cycle d'orientation.

cours de grammaire

par R. Lagane, professeur agrégé, J. Dubois, professeur agrégé, et G. Jouannon, professeur de C. C.; le cours comprend :

une GRAMMAIRE FRANÇAISE pour toute la scolarité — trois volumes d'EXERCICES DE FRANÇAIS : classe de sixième — classe de cinquième — classes de quatrième et de troisième.

volumes cartonnés (14,5 × 20 cm).

LES NOUVELLES LITTÉRAIRES

ARTS - SCIENCES - SPECTACLES

nouvelle présentation

Reflet hebdomadaire du mouvement intellectuel en France et dans le monde. Articles de fond, chroniques, nouvelles, romans, enquêtes, avec la collaboration des plus grands écrivains contemporains.

VIE ET LANGAGE

Revue mensuelle consacrée sous une forme attrayante à tous les problèmes de langage. L'organe de ceux qui, à travers le monde, enseignent, apprennent, lisent, parlent le français et désirent le mieux connaître.

Vente au numéro et abonnements chez tous les libraires, marchands de journaux et LAROUSSE, 114, boulevard Raspail, Paris-6e